SONHOS

Há muito mais por trás das entrelinhas.
Receba chaves poderosas para
interpretar seus sonhos

Sonhos

Copyright © 2022 by Vinicius Iracet

4ª edição: Outubro 2023

Direitos reservados desta edição: CDG Edições e Publicações

O conteúdo desta obra é de total responsabilidade do autor e não reflete necessariamente a opinião da editora.

Autor:
Vinicius Iracet

Preparação de texto:
Larissa Robbi Ribeiro

Revisão:
Lays Sabonaro

Projeto gráfico e capa:
Jéssica Wendy

DADOS INTERNACIONAIS DE CATALOGAÇÃO NA PUBLICAÇÃO (CIP)

Iracet, Vinicius
  Sonhos : há muito mais por trás das entrelinhas. Receba chaves poderosas para interpretar seus sonhos. / Vinicius Iracet. — Porto Alegre : Citadel, 2022.
  272 p. : il.

ISBN: 978-65-5047-194-1

1. Sonhos - Significados I. Título

22-5884   CDD - 135.3

Angélica Ilacqua - Bibliotecária - CRB-8/7057

Produção editorial e distribuição:

contato@citadel.com.br
www.citadel.com.br

Vinicius Iracet

SONHOS

Há muito mais por trás das entrelinhas. Receba chaves poderosas para **interpretar seus sonhos**

2023

AGRADECIMENTOS	**10**
INTRODUÇÃO	**14**
PARTE 1: RAIO-X DE DEUS	**18**

Um sonho, seu contexto e seu impacto — 22

Deus fala de muitas formas	23
Deus fala enquanto dormimos	24
Sonhos de advertência	25
Peculiaridades dos sonhos	26
Sonhos que libertam	30
Sonhos = presenciar a voz de Deus	31
Sonhos e visões do passado, presente e futuro	32
Sonhos com o passado	32
Alertas do presente	33
Anunciação do futuro	33
Primeiro passo para realizar uma interpretação	35
Interpretações de sonhos	39

Os sonhos de um rei — 42

Sonhos que inquietam	43
Coisas que a ciência não explica	44
Sonhos esquecidos	46
Sonhos que fogem à regra	47
O espírito santo "lembrador"	48
Revelações por amor	48
Seres espirituais	49
Interpretações de sonhos	53

Os mistérios, o oculto e o escondido — 56

O mistério dos sonhos	57
O profundo e o escondido	59
Aquilo que está oculto	61
Interpretação do profundo e do escondido	62
Interpretações de sonhos	69

As múltiplas faces dos sonhos 72

O sonho do faraó e a interpretação de José 74
Visão horizontal 74
De baixo para cima 75
Agentes pacíficos ou agentes agressivos 76
O vento nos sonhos 77
Fatos espirituais e naturais 78
Sonhos continuados e recorrentes 79
Sonhos gravíssimos 81
De um mesmo lugar 82
Sequências nos sonhos 82
Conexões nos sonhos 83
Sonhos comunicam talentos 85
Sonhos perturbadores 86
Deus fala com quem? 87
Quando uma interpretação traz paz? 87
Notificações e verificações 88
A marca do profético 90
Interpretações de sonhos 95

PARTE 2: A LINGUAGEM DOS SONHOS 98

Entre sonhos figurativos e literais 102

Sonhos figurados: figuras e símbolos nos sonhos 104
Sonhos literais 106
Invólucro visionário 108
Os sonhos, as decisões e as direções 109
Como ter acesso aos mistérios 110
Interpretações de sonhos 113

Os tipos de sonhos 118

Não há como fugir 119
Tipos de sonhos 121
Portais do inferno 122

As legalidades da noite	124
Paralisia do sono	125
Sonhos de revelação	125
Nosso espírito não dorme	126
A comunicação entre o espírito e a alma precisa de treino	127
Sonhos do Espírito Santo	133
Interpretações de sonhos	137

O mapa do tesouro nos sonhos — 140

As instruções nos sonhos	141
Elementos básicos nos sonhos	141
Unção de reis	142
Instruções para evitar o perigo	143
Bloqueios espirituais	144
Sonhos são armas	145
Instruções estabelecem cursos	146
Deus sela instruções no sonho	147
Interpretações de sonhos	149

Camadas dos sonhos e suas esferas — 152

Revelações de Deus a profetas	153
Fonte da revelação	154
Sonhos – parábolas do reino	154
Unção do sonhador	159
Sonhos com escadas	160
Os melhores sonhos	160
Sonhos focados	161
Legendas de Deus	162
Expert em ouvir a voz de deus	163
Os sinalizadores de Deus	163
Discernindo os ambientes	167
Interpretações de sonhos	169

Simbolismos dos sonhos — 172

Símbolos presentes em muitos sonhos	176

Elementos combinados	182
Interpretações de sonhos	187

Sonhos com o futuro — 190

Mistérios revelados	192
Sonhos antes de partir	193
Sonhos que livram da morte	194
Sonhos com cachoeiras	195
O sono profundo e a escuridão	197
Deus revela o futuro aos Seus amigos e a pessoas influentes	198
Sonhos de mero conhecimento e zero instrução	199
De Deus são as interpretações	200
Sonho sobre o destino de grandes impérios	200
Interpretações de sonhos	205

Pesadelos e Sonhos impuros — 208

Sonhos aterrorizantes	211
Espíritos que entram em sonhos	211
Climas espirituais	213
Influências espirituais	215
O perigo da ociosidade	216
Os motivos dos pesadelos	217
Demônios não dormem	219
É preciso encher a casa	220
A adoração expulsa o mal	222
Para uma cidade ter paz	222
Como acabar com pesadelos e sonhos impuros?	223
Interpretações de sonhos	225

DICIONÁRIO DE SONHOS — 228

Algumas interpretações de sonhos	256
Três sonhos e as interpretações proféticas	258

APÊNDICE — 260

16 perguntas sobre sonhos	264

GRATIDÃO.
Nisso se resume a minha
grande alegria e prazer em ter
sido abençoado com a graça de Deus
de discernir sonhos e visões.
Também agradeço à minha
querida esposa Ariane e aos meus
filhos, por tanto apoio, carinho
e perseverança ao meu lado.

Profeta Vinicius Iracet

Neste livro,
**não falaremos de religião,
mas de Cristo, de Deus e das
interpretações dos sonhos.**
Vamos mergulhar no sobrenatural
para compreender como Deus fala
por meio de visões e sonhos.

Embora muitos não os entendam,
sonhos são uma forma de comunicação.
As imagens que aparecem neles carregam
informações e a grande maioria delas
– as imagens – pode ser decodificada.

Sabe-se que uma mensagem codificada só é acessada através de uma senha específica. Assim, algumas das imagens nos sonhos são universais e todas as pessoas são capazes de entendê-las (basta estudá-las), mas existem outras a que só alguns têm acesso.

Na verdade, às vezes uma pequena informação dentro de um sonho é capaz de mudar completamente a interpretação deste. Por isso, quando falamos de sonhos, estamos falando de um terreno muito delicado e extremamente complexo.

É importante destacar que os sonhos podem conter um propósito, um projeto maior do que aquele que podemos imaginar, configurando-se em uma verdadeira profecia.

Acredito que um dos maiores desejos de Deus é falar com o ser humano, e, para isso, Ele usa muitas formas de linguagem, dentre elas sonhos e visões. Particularmente, já fui muitíssimo abençoado com sonhos por parte de Deus, que apontaram mudanças na minha vida e definiram o meu destino. Da mesma maneira, acredito que todos aqueles que lerem esta obra entenderão melhor aquilo que Deus fala para cada um.

É incrível ver o quão extraordinário é o modo como Deus se manifesta, se revela e fala com as pessoas... Nesse sentido, esta obra te presenteará com muitas chaves para que você possa aprender a interpretar os seus sonhos e a entender os mistérios que estes encerram.

PAR
RAIO-X

TE 1:
E DEUS

Dizer que os sonhos são o raio-x de Deus significa que Ele consegue ver o que nós não vemos. Através dos sonhos, nós conseguimos ver o que os nossos olhos naturais não veem. Na primeira parte do livro, vamos aprender a como analisar sonhos e outras informações contidas neles. Faremos um verdadeiro raio-x onírico.

Por meio dos sonhos, conseguimos ver além do natural, através do Espírito. A única maneira de vermos além do que os nossos olhos naturais compreendem, ou até mesmo ouvir além do que os sentidos naturais podem captar, é pelo Espírito. Através Dele, conseguimos ver, ouvir, sentir, tocar e provar, pois os mesmos sentidos físicos que temos no corpo natural existem no corpo espiritual. Assim, nos sonhos, por intermédio do Espírito, é possível vermos o plano espiritual.

Antes de começarmos o raio-x dos sonhos, quero dar uma dica valiosa: tenha um livro dos sonhos. Pode ser uma agenda ou um caderno em que você possa escrever o que sonhou na noite anterior. Essa atitude é importante porque há sonhos cujo entendimento virá apenas ao longo da sua caminhada com Deus. Há coisas que "pegamos" nas entrelinhas ao ir adentrando na Terra Profética (vamos chamar assim). Então, vai se abrindo o entendimento, cada vez maior, sobre os sonhos. Por isso, devemos sempre escrevê-los de forma detalhada. Caso lembremos apenas de uma parte dele, saibamos que a parte marcante é justamente a que precisa ser registrada. Aquilo que não lembramos bem não deve ser escrito no nosso diário dos sonhos.

UM SONHO, SEU CONTEXTO E SEU IMPACTO

Deus fala de muitas formas

"Entretanto, a verdade é que Deus fala, ora de uma maneira, ora de outra."

(Jó, 33:14 – KJA)

Então, Deus fala por meio da Bíblia, sim, mas fala também por meio de um profeta, bem como de visões e sonhos. Deus fala por meio de uma criança, e chegou a usar uma mula para exortar um profeta (Números, 22).

Ele pode usar a natureza e até as circunstâncias para falar conosco. É por isso que a Bíblia diz: "Deus fala, ora de uma maneira, ora de outra" (Jó, 33:14 – KJA). Isso denota que Deus pode falar conosco um dia de uma forma e em outro dia, de outro jeito.

Alguém pode perguntar: "Por que Deus não tem um padrão para falar conosco?". A resposta é: "Porque também não temos um padrão para ouvir". O que quero dizer é que o ser humano é como uma antena receptora. Há muitas vozes que estão, a todo momento, falando com o homem e ele precisa aprender a distinguir cada uma dessas vozes. Deus usa várias maneiras de se comunicar, para que aprendamos a nos conectar com cada uma das formas que Ele usa para falar conosco.

Foco

O que decide tanto amplitude quanto a diminuição de algo em nossa vida é nosso foco. Então, quando estamos focados em outras coisas, ou até mesmo distraídos com pessoas, como poderemos sonhar? Deus não poderá usar o sonho naquele momento para se comunicar.

Todavia, Ele pode usar outras ferramentas de comunicação. Em uma reunião de trabalho, por exemplo, Ele pode falar conosco através de princípios que aprendemos e não quebramos, além de falas que ouvimos e que não agradam nem o nosso ouvido nem o nosso coração. Tudo isso para nos dar uma direção – se devemos avançar ou retroceder em um negócio.

Se aprendermos a caminhar com a voz de Deus, seremos pessoas de muito sucesso nesta terra. Hoje, a minha paixão e meu foco é a voz de Deus; ela realmente é maravilhosa.

Deus fala enquanto dormimos

"Deus fala, sim, em sonho ou em visão durante as noites, quando o sono profundo cai sobre todos nós e adormecemos em nossas camas."

(Jó, 33:15 – KJA)

Neste verso, é dito que Deus usa tanto o sonho quanto a visão durante a noite para falar com o ser humano. Então, à noite, quando estamos dormindo, podemos dizer que Deus usa essas grandes ferramentas para falar conosco. Ele pode usar as visões durante o dia também, mas os sonhos geralmente são à noite, porque é quando as pessoas costumam dormir. A grande questão é que sonhamos apenas quando estamos dormindo, seja o horário que for.

Sonhos de advertência

*"Ele pode falar aos ouvidos dos homens e
aterrorizá-los com advertências."*

(Jó, 33:16 – KJA)

Nem todo pesadelo se constitui em um sonho do inferno ou um sonho da imaginação – classificados no Capítulo 6 deste livro. Há certos pesadelos aterrorizantes, terríveis, que podem ser uma advertência de Deus. Por isso, esses sonhos nem sempre devem ser repreendidos ou meramente taxados como não sendo divinos.

Tenho aprendido que muito do que entendemos não ser proveniente de Deus é, na verdade, fruto da nossa ignorância. Há pessoas que, erroneamente, declaram que, se o sonho é de Deus, Ele mesmo dará a interpretação, mas nem sempre é assim. Um faraó citado na Bíblia, por exemplo, teve um sonho sem a interpretação e buscou outra pessoa para interpretá-lo. Ou seja, as pessoas falam o que não sabem, talvez por seguirem uma teologia aparentemente muito perfeita, mas que na verdade está cheia de heresias.

A verdade é que Deus dá revelações para uns que não dá para outros, e é isso que as pessoas precisam aprender a respeitar. Entretanto, há pessoas que só se importam em refutar o que não conhecem.

Peculiaridades dos sonhos

"A fim de prevenir o ser humano sobre as suas más ações
e livrá-lo da soberba e da arrogância, para poupar a sua
alma da cova, e a sua vida, de passar pela espada."

(Jó, 33:17-18 – KJA)

Esse fragmento mostra que os sonhos têm três grandes peculiaridades. As *más ações* podem ser entendidas como escolhas que estamos prestes a fazer, prontos para agir ou decidir, mas que são uma decisão ruim ou uma péssima ideia. Aí vem um sonho em que Deus nos alerta sobre algumas coisas, porque deseja nos guardar, nos livrar de algo mau.

Sonhos que geram prudência

Há alguns anos tive uma sequência de sonhos interligados. No primeiro, eu havia negociado um carro meu, em bom estado, por um veículo inferior. Cheguei à frente de casa e a minha esposa saiu para me encontrar, então eu mostrei a ela que havia trocado de carro. Ela, diante disso, me indagou do porquê eu ter feito aquela troca, e eu lhe respondi que foi necessário. Ao analisarmos o carro recém-comprado, notamos que o porta-malas era de outra cor. Naquele momento, ela entrou no carro comigo e me fez voltar para desfazer o negócio. (Sabe como é a mulher quando percebe que o homem faz uma coisa errada… quer corrigi-lo na hora, e ele cede porque sabe que ela tem razão.)

Em outra noite, tive o segundo sonho, uma sequência do que eu acabei de relatar. Naquele sonho eu fui mostrar um campo para alguns irmãos da igreja e deixei o carro no acostamento. Enquanto estávamos naquele campo, repentinamente um homem começou a atirar em nós com uma espingarda e saímos correndo dali. Quando voltamos para a estrada, vi que haviam roubado o meu carro. Nesse segundo sonho, mais uma vez, havia um carro.

No terceiro dia, tive novamente uma sequência dos outros dois sonhos. Dessa vez, eu estava com a minha esposa; ela estava no banco de trás do carro e uma terceira pessoa, no banco do carona, conversava comigo, mas eu não sabia quem era. Ao olhar para minha esquerda, vi uma faculdade, parecida com aquelas faculdades americanas. Ali havia pessoas da igreja na portaria e, ao cumprimentá-los, meu carro caiu em um imenso buraco. Com isso, a minha esposa me perguntou se eu não havia visto o defeito no asfalto. Eu lhe respondi, no sonho, que já tinha passado ali dezessete vezes e que mesmo assim sempre caía no mesmo lugar.

Já acordado, pedi a interpretação daqueles sonhos sequenciais para Deus, e entendi que seria um ano em que eu não poderia me precipitar. Você pode me perguntar como cheguei a essa conclusão. Note que, no primeiro sonho, eu não havia consultado a minha esposa sobre a troca do carro, e depois percebi que não havia prestado atenção no porta-malas. Portanto, fui desatento, me precipitei, não avaliei bem o negócio. No segundo sonho, fui mostrar um campo para outras pessoas e deixei o carro na estrada. Fui imprudente, pois não se deixa carro sozinho na estrada. Além disso, entrei em um campo onde eu certamente não tinha autorização de estar, já que o dono me recebeu à bala; ou seja, não averiguei bem a situação. No terceiro sonho, eu estava distraído e, por causa disso, entrei com o carro em um buraco no asfalto. A presença da faculdade, do outro lado da rua, significava que eu seria provado muitas vezes, por isso eu havia dito que passara dezessete vezes por ali.

Realmente, Deus me ensinou, naquele ano, que antes de toda decisão eu precisava, antes de qualquer coisa, consultar a Ele. Eu não poderia ser precipitado, dando rapidamente uma resposta para as pessoas que estivessem me pressionando para obtê-la; eu precisava pensar, repensar e orar, ser prudente na tomada cada decisão.

Acredito que tal revelação fez toda a diferença na minha vida, porque antes daqueles sonhos eu havia feito tanto bons quanto maus negócios. Daquele ano em diante, eu aprendi a triplicar o nível de segurança, de alerta e prudência, ao passo que o nível de impulso reduzi a quase zero.

Assim, antes de fechar qualquer negócio e tomar uma decisão, consulto a Deus e a outras pessoas, seguindo a Bíblia, que diz que "na multidão de conselheiros há sabedoria" (Provérbios, 11:14), sem ceder a pressões.

Vinicius Iracet

VOCÊ JÁ SONHOU COM GRAVIDEZ?

APONTE A CÂMERA
PARA O QR CODE

Sonhos que libertam

*"A fim de prevenir o ser humano sobre as suas más
ações e livrá-lo da soberba e da arrogância"*

(Jó, 33:17 – KJA)

Aprendi que os sonhos muitas vezes são alertas, advertências de Deus e livramentos de perigo. Por que o verso acima declara que Deus quer nos livrar da soberba? Porque há sonhos em que Ele nos permite ver as coisas que estão nos rondando no mundo espiritual, para mergulharmos em oração. Com isso, Deus está querendo nos alertar de algo e nos fazer buscar cada vez mais Ele.

O aperfeiçoamento e a prova

A melhor forma de tratar a soberba de alguém é fazê-lo passar por uma prova. Entenda, a prova não é uma punição, mas sim uma maneira de Deus nos aperfeiçoar. Ele permite as provas na nossa vida para trabalhá-las em nós. Ele não tem o objetivo de nos fazer passar trabalho, Sua intenção é nos libertar, nos tornar melhores, mais dependentes Dele.

Quando temos comunhão com a voz de Deus, por meio de visões e sonhos, a arrogância vai sendo quebrada em nós, porque Ele fala algumas coisas que nos deixam "de cabelo em pé". Alguns sonhos são tão pessoais que não são relatáveis, porque são íntimos, e são sonhos em que Deus ministra aos nossos corações, principalmente sobre a arrogância que existe em todos nós. Mesmo alguém muito humilde pode orgulhar-se da sua própria humildade e essa falsa humildade o levar a ser arrogante. Por isso, precisamos ser sensíveis para perceber o que Deus está falando conosco em sonho.

Sonhos = presenciar a voz de Deus

Costumo dizer que sonhos são quadros, desenhos, telas em movimento, filmes... e por trás de toda imagem há uma informação. Por isso, quando vemos, por exemplo, uma foto de família em que todos estão de mãos dadas, isso está passando uma informação. Quando vemos uma família alegre, pai brincando com o filho, mãe vindo com outra criança também brincando, isso traz a informação de uma família cheia de amor, onde há cumplicidade, respeito, felicidade. Da mesma forma, quando vemos uma criança chorar, nessa cena há uma informação.

Até mesmo um quadro abstrato, com linhas que se assemelham a algo ou alguém, possui informações. Assim, tanto um quadro como uma fotografia carregam conhecimentos, pois há algo sendo expresso neles. Da mesma forma, há algo sendo expresso por Aquele que está nos dando o sonho. Deus quer que percebamos a informação por trás daquilo, Ele está querendo comunicar algo por meio daquela imagem, por isso dizemos que sonhar é presenciar a voz de Deus.

Eu estava ouvindo o relato de uma mulher que teve um sonho com um calendário cujas datas passavam muito rápido e havia um rio que as cruzava. Aquele rio tinha águas correntes, e vinha em direção a essa mulher muitos textos de Apocalipse que falavam do Rio da Vida. Ela morreu de forma precoce, mas Deus havia avisado em sonho que ela partiria desta vida, que sua vida estava passando muito rápido e que ela deveria focar no Rio da Vida. O detalhe é que nem ela nem o seu marido compreenderam aquele sonho. O tempo passou, ela faleceu e depois o marido aceitou a Cristo. Só então veio a ele a compreensão do sonho de sua esposa. Ou seja, Deus fala conosco, e de muitas maneiras, mas precisamos chegar ao entendimento do que Ele está nos comunicando.

Sonhos e visões do passado, presente e futuro

Um sonho é uma visão profética de algo em nossa vida relativo ao passado, ao presente ou ao futuro.

Sonhos com o passado

Já tive visão de estar fugindo com a minha mãe quando ainda era criança – cabe aqui porque a visão e o sonho permitem interpretações muito parecidas; a diferença é que a visão é uma revelação quando acordados, enquanto o sonho é uma revelação que ocorre enquanto dormimos. Naquela visão, a minha mãe estava muito tensa, querendo me proteger, me livrar de um incêndio. A fumaça estava entrando no apartamento onde estávamos e vi o desespero dela ao tentar sair. Ela não conseguiu sair pela porta da frente, então tentou pela garagem – mas eu não sabia disso. Não sei se foi o meu subconsciente ou não, mas o que sei é que depois que tive aquela visão perguntei para minha mãe se havia acontecido na realidade um episódio assim. Ela me respondeu que sim, relatando que, quando eu era bebê, morávamos em um prédio e o apartamento do andar de baixo pegou fogo. Então ela saiu comigo pela garagem por causa do fogo e da fumaça que estava entrando no apartamento em que estávamos.

Eu nunca tinha ouvido essa história – talvez porque para minha mãe isso não fosse relevante –, mas creio que aquela visão foi uma cura em mim, porque de alguma forma o ocorrido me marcou e Deus precisava me curar para me usar. Nesse sentido, sonhos que você tem com o seu passado, ou sobre ele, podem dizer respeito a curas que Jesus quer operar na sua vida.

Alertas do presente

Alguns sonhos dizem respeito ao nosso presente, como aquela sequência que relatei, em que Deus estava me falando sobre a prudência e sobre eu não me precipitar naquele ano. Deus estava falando para mim: "De agora em diante, não se precipite".

Anunciação do futuro

Há também os sonhos que falam do futuro. Um moço chamado José teve um sonho com o Sol, a Lua e onze estrelas que se dobravam a ele (Gênesis, 37). Depois sonhou com vários feixes, que ele e seus irmãos juntavam no campo; o feixe dele se levantou e todos os outros, que eram dos irmãos e dos pais, se dobravam a ele. Aquele menino de dezessete anos estava tendo sonhos sobre seu futuro. Eu entendo que Deus já estava anunciando um governo para José, algo que ele viria a se tornar na vida adulta.

Há muitos sonhos que são revelações do que vamos nos tornar ou revelações de coisas que estão no nosso futuro.

Dias atrás, ouvi algo muito interessante. Minha esposa, eu, uma amiga e seu marido estávamos jantando. Essa amiga contou que sonhou com a mão do seu marido antes de conhecê-lo. No sonho, ela estava no shopping cheia de sacolas quando o viu e, em seguida, pediu para ele ajudar a carregá-las. Quando ele estendeu os braços para ajudar, naquele momento ela viu as mãos dele. Ao se deparar com aquelas mãos tempos depois, ela se lembrou do sonho e disse que sabia que iria se casar com aquele homem.

Entenda, Deus fala coisas concernentes ao nosso futuro que, se entendermos e percebermos, conheceremos o que Deus tem planejado para nós, de forma que ficaremos impactados e maravilhados.

Primeiro passo para realizar uma interpretação

"Ó Deus de meus pais, eu te dou graças e te louvo, porque me deste sabedoria e força; e agora me fizeste saber o que te pedimos, porque nos fizeste saber este assunto do rei."

(Daniel, 2:23 – ACF)

No relato acima, vemos Daniel, como profeta, pedir a interpretação e a matriz de que o Rei Nabucodonosor precisava. Aqui nós entendemos que Daniel era um homem de oração. Quer reconhecer um profeta? Veja a vida de oração dele. É interessante que Daniel pediu a Deus a interpretação e Ele a deu. Esse é o primeiro passo para alguém interpretar sonhos: pedir para Deus dar a interpretação.

A Bíblia diz que Daniel fez um jejum de 21 dias, em que ele comeu legumes e não ingeriu coisas desejáveis, ou seja, se alimentou do oposto do que estava habituado a comer. Durante essas três semanas, ele esteve no Rio Quebar pedindo uma resposta a Deus (Daniel, 10). Esse exemplo demonstra que Daniel era um homem que, quando não entendia as coisas, entrava em oração. É isso que devemos fazer, entrar em oração, buscando algumas respostas que não estamos encontrando, porque somente Deus pode dá-las a nós.

Sonhos

VOCÊ JÁ SONHOU COM CASA VELHA?

APONTE A CÂMERA
PARA O QR CODE

Nossos sonhos
não podem ser
ignorados, precisam
ser bem compreendidos
para recebermos avisos,
alertas, informações
e revelações
contidas neles.

Interpretações de sonhos

Sonho 1:

"Eu sonho frequentemente com cobras, cobras grandes, muitas cobras e é sempre relacionado ao meu filho mais novo, com quem tenho tido muitas discussões. Ele se afastou da igreja, se envolveu com drogas, e sempre que a gente está em momento de muita crise eu sonho com cobra. Cobras nos perseguindo, cobras muito grandes nos afrontando. Nessa noite mesmo, sonhei com cobra que só eu via, mais ninguém. Eu entendo que é luta, é guerra, mas não tenho detalhes."

Interpretação 1:

O sonho com cobra é um dos mais comuns, porque a cobra é agressiva. Tudo que for agressivo no sonho é relacionado a algum tipo de ataque. Só que cada modelo de sonho com cobra, de acordo com a cor do animal, significa ataque a alguma determinada área da vida. Há sonhos com cobra coral, cobra branca, cobra preta, cobra naja, cobra enrolada, cobra no braço, cobra na perna... enfim, existem muitos tipos de sonho com este animal.

Sonhar com *cobra verde* pode ser um sinal de ataque na área das finanças, enquanto sonhar com uma *cobra no quarto* pode significar ataque na vida sentimental. Um sonho com *cobra no quintal* pode indicar que algo está muito próximo de acontecer. Sonhos com *cobra coral* podem ser indício de um ataque espiritual um pouco diferente; essa espécie está relacionada a ataques imperceptíveis e a perdas financeiras, bem como a mortes prematuras. Um sonho com essa espécie de cobra é interessante, porque ela representa coisas que o inimigo não deixa crescer. Sonhos com *cobra na água* também são muito perigosos, porque pode sinalizar que a pessoa está totalmente vulnerável a ataques espirituais.

Sonho 2:

"Uns três anos atrás eu sonhei que entrei em um local onde havia vários túneis, mas não eram escuros como os que a gente conhece. Na verdade, tinha uma luz muito clara. Quando eu olhei para o chão, havia muitas cobras enroladas umas nas outras. Um homem apareceu e falou para mim: 'Sabe o que significam essas cobras? São sete palavras escondidas que Deus tem para você'."

Interpretação 2:

Na verdade, esse sonho com cobra não é algo ruim como a maioria dos sonhos que envolvem esse tipo de animal, pois, embora nesse sonho tenha cobra, há uma mensagem de Deus. Pode-se dizer que 99% dos sonhos com cobras são ataques espirituais, mas devemos nos lembrar de que a Bíblia também fala da cobra de Moisés (Êxodo, 7), a que engolia as outras; aquilo representava autoridade. Então, sonhar com isso pode indicar que Deus tem um propósito na vida dessa pessoa ou na família dela, relacionado à autoridade espiritual. É possível que Ele a coloque em lugares de autoridade, ou então que existe alguém nessa família para quem Deus está cortando um laço do inferno que estava para atacar o coração da pessoa.

OS SONHOS DE UM REI

Sonhos que inquietam

"E no segundo ano do reinado de Nabucodonosor, Nabucodonosor teve sonhos; e o seu espírito se perturbou, e passou-se-lhe o sono."

(Daniel, 2:1 – ACF)

O trecho "e o seu espírito se perturbou", na citação acima, mostra que, quando um sonho é de Deus, ele geralmente causa agitação, chama a atenção, faz perder o sono, acelera o coração. Há pessoas que, erroneamente, afirmam que, se acordamos com o coração acelerado, o sonho não é de Deus. Entretanto, a Bíblia afirma exatamente o contrário, diz justamente que "o seu espírito se perturbou". Isso mostra que sentimos, no nosso íntimo, quando Deus está ministrando a nós, falando conosco, pois ficamos inquietos e impressionados.

Tive um sonho, há alguns dias, de que eu dava um treinamento para vários pastores, e fiquei impressionado, pois, quando chegou a vez de mentorear determinado pastor, eu entendi que ele estava construindo. Passaram-se alguns dias e esse mesmo pastor falou para mim que iria comprar um terreno. Detalhe: eu não comentei que havia sonhado com ele.

Devemos entender que Deus nos inquieta porque está querendo nos contar algo sobre o que vai acontecer. Nabucodonosor teve sonhos e o seu espírito se perturbou por isso. A Bíblia diz que "lhe passou o sono". Quando um sonho perturba de alguma maneira, a pessoa acorda e, mesmo que volte a dormir, ficará inquieta e sensível.

Coisas que a ciência não explica

Há pessoas que acordam pelas três horas da manhã, olham para o relógio e enxergam horas como 03:11 ou 03:33. Isso são sinais de Deus, é algo que Ele está querendo nos mostrar. A ciência quer justificar o sobrenatural, mas a verdade é que ela vai até a um limite, até ao ponto da revelação. Quando passa da revelação, a ciência já não entende. Ela explica o *déjavù* – aquela sensação de já ter vivido algo que se está vivendo no presente –, mas não esclarece como conseguimos descrever um lugar por onde nunca passamos, ou como completamos uma frase dita por alguém sem nunca a termos ouvido.

Isso já aconteceu comigo e foi muito gratificante. Cheguei a um lugar e ao cumprimentar uma pessoa tive a sensação de que já havia estado naquele lugar. Na verdade, foi uma revelação de que eu deveria estar ali. Ao confidenciar isso para a pessoa, ela ficou impressionada e ia me falar algo, mas eu a interrompi, pois eu já sabia o que ela ia dizer. Então comecei a falar tudo o que o Espírito Santo estava me revelando.

É isso que a ciência não explica, pois ela vai até o comprovável e argumentável. Quando ultrapassamos a revelação humana e adentramos a fase do mistério de algo que não foi revelado, de algo que não tem explicação, a ciência se cala. Os milagres fazem parte desse mistério porque também ultrapassam o explicável. Tudo o que vai além daquilo que, humanamente, se pode explicar faz parte da revelação divina.

Quando Deus
fala conosco,
ficamos inquietos
e impressionados.

Sonhos esquecidos

"Respondeu o rei, e disse aos caldeus: o assunto me tem escapado."

(Daniel, 2:5a – ACF)

A Bíblia diz que o rei Nabucodonosor chamou magos, astrólogos e caldeus para entender o seu sonho, porém, quando os caldeus lhe perguntaram sobre o que era o sonho, ele disse que havia esquecido.

Deus revela muitas coisas, e quando o rei Nabucodonosor disse que o assunto tinha "lhe escapado", quis dizer que não lembrava totalmente do sonho, mas que este o perturbara.

Áreas vitais

Eu estava interpretando o sonho de uma pessoa que sonhou com os seus dentes da frente, todos frouxos, o que a incomodou muito. Deus me disse que havia áreas da vida dela que estavam quase perdidas.

A pessoa para quem interpretei aquele sonho descobriu que estava com câncer, e me lembro que eu disse a ela: "Minha senhora, o Deus que revelou o seu problema também tem o poder de te curar". Essa senhora fez o tratamento, pediu orações e Jesus a curou.

Por áreas vitais podemos entender: saúde, família, comunhão com Deus, finanças equilibradas e consolidadas etc.

Sonhos que fogem à regra

Várias vezes afirmei que, quando não lembrássemos de um sonho, este não era de Deus – porque na maioria das vezes não é. Não obstante, Deus tem me ensinado que, se um sonho perturba a pessoa, mesmo que se esqueça alguma parte do que foi sonhado, pode ser Ele falando, e por isso a história precisa ser lembrada.

Há sonhos dos quais esquecemos uma parte, mas a marca registrada de que o sonho tem uma instrução de Deus é que ele nos impactou e incomodou; é isso que prova que alguns sonhos são uma exceção à regra. O sonho de Nabucodonosor foi um desses que fugiram à regra, pois mesmo ele tendo esquecido de uma parte, aquele sonho era de Deus.

Isso foi revelado porque o sonho deste imperador teve a interpretação de um profeta. Daniel entrou na história. Porém, havia um mistério por trás, Deus queria que Daniel, Sadraque, Mesaque e Abdenego fizessem parte dessa revelação e do propósito da interpretação. Foi por isso que Deus ocultou uma parte daquele sonho.

Acredito que algumas coisas permanecem ocultas no sonho (isto é, quando o esquecemos), porque é de suma importância que busquemos a revelação de Deus e puxemos pela memória, ou até mesmo tenhamos a revelação do que Deus nos comunicou.

Se pararmos para pensar, como foi possível aos apóstolos lembrarem as palavras de Jesus?

O espírito santo "lembrador"

"Mas aquele Consolador, o Espírito Santo, que o Pai enviará em meu nome, vos ensinará todas as coisas e vos fará lembrar de tudo quanto vos tenho dito."

(João, 14:26 – ARC)

O Sermão da Montanha, encontrado na Bíblia, é muito extenso e os discípulos se lembraram de cada palavra de Jesus e, ao que tudo indica, nenhum deles era escriba, para tomar nota de tudo que Jesus falava. Entretanto, ele ensinou que quando se fosse, o Espírito Santo nos lembraria de todas as coisas. Esse é um segredo sobre os sonhos: é o Espírito Santo quem nos faz lembrar dos detalhes.

Revelações por amor

"Se não me fizerdes saber o sonho e a sua interpretação, sereis despedaçados, e as vossas casas serão feitas um monturo."

(Daniel, 2:5b – ACF)

Veja que o rei pediu a revelação do que ele tinha esquecido e partiu para o "tudo ou nada", pois ameaçou matar os magos se estes não revelassem o sonho. Tudo porque as imagens o incomodaram. Percebe-se como esse rei estava perturbado, o quanto ficou assustado com seu sonho. Com isso, vemos que devemos dar a relevância necessária aos sonhos, acreditando que verdadeiramente Deus está falando conosco por meio deles.

O detalhe é que esse rei era pagão, alguém que servia a vários deuses e que não tinha a mesma fé de Daniel, mas mesmo assim Deus falou com esse homem.

Talvez alguém se pergunte por que Deus dá uma revelação para uma pessoa que não segue Ele. Com certeza, Deus o faz por amor a uma nação, por amor a uma família, por amor a um escolhido, por um propósito, por um futuro... Por algo que desconhecemos, Deus pode se revelar a qualquer pessoa.

Seres espirituais

"Mas se vós me declarardes o sonho e a sua interpretação, recebereis de mim dádivas, recompensas e grande honra; portanto declarai-me o sonho e a sua interpretação."

(Daniel, 2:6 – ACF)

Que coisa difícil o rei estava pedindo, revelação para um sonho que ele não havia contado e a interpretação daquilo que ninguém sabia. Como um homem natural, que não tinha grandes experiências com o divino, sabia que era possível ter a revelação de algo que havia sonhado?

Você já reparou que a geração anterior a nossa, a dos nossos avós e bisavós, acreditava mais no espiritual do que nós? Mesmo com um pensamento equivocado, quantas vezes já ouvimos as pessoas de idade mais avançada falarem: "Cuidado com a inveja, ela é destruidora". Muitas vezes ouvi pessoas idosas aconselharem a não falar para ninguém sobre um negócio, e cheguei a pensar que isso era misticismo.

Eu acredito em Jesus e na palavra dele, essa é a minha confissão de fé e considero que, realmente, há coisas místicas que não convém seguirmos. Apesar disso, no mundo espiritual, há coisas que não podem ser ignoradas porque sabemos que elas existem de verdade. Contudo, o ser humano tem entrado em uma era de tanto materialismo, racionalidade, incredulidade e ceticismo, que se esquece de que também ele é espiritual.

William Shakespeare já escrevia no século XV: "Há mais coisas entre o céu e a terra, Horácio, do que sonha a nossa vã filosofia". Acredito que ele continua tendo relevância.

Vinicius Iracet

VOCÊ JÁ SONHOU COM PESSOAS FALSAS?

APONTE A CÂMERA
PARA O QR CODE

Interpretações de sonhos

Sonho 1:

"Certa vez, sonhei com uma natureza muito linda, muitas árvores verdes e um riacho de água corrente. Sobre esse riacho de águas cristalinas, havia uma passarela. Sobre ela havia três homens, todos despidos, mas aquela nudez não era notada. Então subi a passarela e fiquei ao lado deles. Eu tinha uma folha branca de papel em minhas mãos e a joguei no fundo da água. Quando encostou na água, a folha se transformou em uma linda flor, que se abria. Também havia um relógio grande de parede que continha números."

Interpretação 1:

Esse sonho apenas um profeta pode interpretar. O significado dele está relacionado a passagens que você teria na vida, momentos que viveria, oportunidades de fazer negócios, oportunidades de ganhar dinheiro. No entanto, os três homens despidos são pessoas que passaram pela sua vida, pessoas injustas que queriam te prejudicar ou se aproveitar de você. O interessante é aquele papel que você jogou no rio e que depois se transformou em uma linda flor; trata-se de situações que você conseguiu entregar para Deus e que, ao fazer isso, se transformaram em bênçãos e alegrias. Aquelas três pessoas seriam passageiras na sua vida porque o objetivo delas não era bom. Eu acredito que esse sonho não é só para um curto período, mas para o futuro, porque havia um rio em cena, e rio representa vida. Portanto, é algo que você terá de cuidar durante toda a sua vida.

Sonho 2:

"No meu sonho, havia um galpão coberto com uma luz muito forte e bonita. Lá havia muito cobre, alumínio, baterias. Eu já trabalho com bateria automotiva, vendo novas e recicladas. No interior, onde eu morava, havia um lugar muito parecido com esse do sonho. No final do sonho, quando saio do galpão, vejo uma criança no carrinho e um senhor de idade ajudando, com as baterias velhas dentro do carrinho."

Interpretação 2:

O significado desse sonho é que você deve ampliar os seus negócios. Há um outro negócio relacionado ao mesmo nicho de mercado em que você trabalha, do qual você já possui algum material de conhecimento, ou seja, não é muito diferente do que você faz hoje. É um negócio paralelo que Deus tem para a sua vida e que pode ter a ver com reciclagem. Esse é um sonho muito bom, porque nele Deus está querendo te abençoar. Isso me sinaliza que você pode pensar em montar outro negócio. Trata-se de uma estratégia de Deus para que você prospere.

Profeta Vinicius Iracet

VOCÊ JÁ SONHOU COM A MORTE?

APONTE A CÂMERA
PARA O QR CODE

OS MISTÉRIOS, O OCULTO E O ESCONDIDO

O mistério dos sonhos

"Mas há um Deus no céu, o qual revela os mistérios; ele, pois, fez saber ao rei Nabucodonosor o que há de acontecer nos últimos dias."

(Daniel, 2:28 – ACF)

Por que os sonhos são mistérios? Porque eles precisam ser revelados. O sonho literal é de fácil interpretação, mas os sonhos figurados, simbólicos, exigem não apenas o conhecimento bíblico, mas o entendimento da revelação. É preciso ver a voz de Deus através da imagem, pois, como já foi dito, sonhar é presenciar a voz de Deus. O mistério reside em descodificar o que está codificado.

Todo sonho vem codificado. E o que é uma codificação? É uma mensagem por trás da figura, ou seja, quando trocamos mensagens, para que outras pessoas não vejam a nossa conversa, a mensagem é codificada, portanto só pode vê-la quem tem o código. Interpretar os sonhos é descodificar os mistérios de Deus, interpretando-os com os olhos de Dele.

Um profeta consegue ver como Deus vê, porém, quando não está em comunhão com o Espírito de Deus, ele não consegue entender a Sua mensagem. É por isso que a Bíblia fala que os profetas enxergam através de camadas. Vamos aprofundar esse assunto na sequência, mas quero citar o episódio em que Deus perguntou a Jeremias o que ele via e este respondeu que via "uma vara de amendoeira". Deus confirmou dizendo que "assim zelava pelo cumprimento da Sua palavra" (Jeremias, 1).

Talvez alguém pense como e por que Deus falou isso, mas na verdade Jeremias conseguiu ver com os olhos de Deus e por isso era profeta, porque descodificava o codificado. Precisamos entender que os mistérios necessitam de uma revelação, de uma chave. A revelação abre a caixa de Pandora. Essa é uma ilustração para entendermos como a revelação é uma chave que abre os códigos da revelação que está com Deus.

Mais uma vez ilustrando, cada vídeo do YouTube tem uma chave especial, um *link* próprio e único, e é esse *link* que dá acesso ao vídeo. Só tem acesso ao vídeo quem tem o *link*. Assim, é imprescindível compreender que a revelação de ontem não pode ser usada hoje, porque a revelação de ontem é para abrir as caixas de mistério de ontem, enquanto a revelação de hoje é para abrir as caixas de mistérios de hoje.

Nem sempre estou muito hábil para as interpretações; às vezes preciso entrar mais em comunhão com Deus e ter mais contato com os sonhos, para que consiga, através da revelação, dar uma interpretação para alguém. Como "a Deus pertencem as interpretações" é preciso buscar uma nova chave no coração de Deus para podermos interpretar um sonho. E só teremos acesso a essa chave se estivermos dispostos a ver como Deus vê.

O profundo e o escondido

"Ele revela o profundo e o escondido."
(Daniel, 2:22a – ACF)

Grave isto: Deus revela o profundo e o escondido, isso quer dizer que Ele revela em camadas. Para uma pessoa ter acesso aos dados de outra, ela precisa vencer várias camadas de segurança, que são colocadas para dificultar o acesso. Se alguém quer fazer uma transferência bancária, nos dias atuais, passará pelo reconhecimento facial e depois terá que colocar uma senha, ou seja, é necessário passar por aquela segurança com a chave certa.

Quando a Bíblia diz que "Ele revela o profundo e o escondido", significa que existe uma camada além do profundo, que é o escondido. Há profetas que possuem visão de raio-x e conseguem ver muito além do natural, por isso podem decifrar o que está escondido.

Quando Deus dá uma revelação profunda sobre uma pessoa, isso é algo específico, que só ela sabe. Por exemplo, certa feita, Deus me deu o número inteiro do documento de um homem e me falou algumas particularidades dele que só a sua mulher, o seu contador e ele próprio sabiam. Isso é incrível, mas não acontece sempre, pois só podemos perscrutar, adentrar no nível de tal revelação, com a permissão de Deus.

Às vezes conseguiremos entrar no profundo, mas, para entrar na camada do escondido, temos que ter um acesso de Deus. Vale dizer que este não é um acesso permanente, mas um acesso que é dado de acordo com o temor à palavra de Deus e da vida que temos com Deus. A Bíblia nos diz que "o segredo do Senhor é para aqueles que o temem" (Salmo, 25:14). Portanto, uma autorização é liberada conforme o nível de obediência que se está desenvolvendo com Deus diariamente.

O profundo muitos conseguem revelar, porém o escondido só se consegue chegar por um acesso divino. O detalhe é que Deus não permite que qualquer pessoa acesse o escondido, por isso muitos não conseguem interpretar sonhos.

O escondido é um nível, uma esfera, que poucos profetas adentram pelo fato que nem todos sabem lidar com as informações que há nele. Existem pessoas que, se tiverem acesso ao escondido de Deus sobre a vida de uma pessoa, tentarão tirar proveito, bajular, fazer mau uso das informações ou agir de má-fé. Por isso, o escondido é somente para alguns, que são autorizados pelo Espírito Santo.

No sonho de Nabucodonosor, já citado, muitos profetas poderiam ter a interpretação do profundo, mas Daniel foi no escondido, ou seja, além de ter a interpretação, teve também acesso ao próprio sonho do rei, o qual recebeu em visão.

A Bíblia diz que João, na ilha de Patmos, teve um arrebatamento de sentidos, um êxtase, e então viu não apenas o profundo, mas o escondido, a tal ponto que "desfaleceram as suas forças" (Apocalipse, 1:9–20).

Aquilo que está oculto

"Conhece o que está em trevas, e com ele mora a luz."
(Daniel, 2:22b – ACF)

O trecho acima "conhece o que está em trevas" refere-se àquilo que está oculto aos homens. Só Deus conhece o oculto. O profeta que consegue adentrar no escondido consegue ver além, vê aquilo que está oculto. Mesmo assim Deus não revela tudo ao profeta, só revela aquilo que Ele quer.

Há coisas que tenho com Deus que ninguém sabe e que Deus não me permite falar. Há coisas sobre as quais Ele já falou para eu me calar, pois não foram mostradas para mais ninguém.

Por isso sei que, quando um profeta acessa o escondido de alguém – coisas que a pessoa não comentou com ninguém, mas que está sendo gerado em Deus –, esse profeta não é qualquer um, é alguém que tem autorização no Céu.

Às vezes, as pessoas se admiram quando profetas dizem uma palavra "na batata", mas isso é a parte rasa da revelação. O impressionante é revelar coisas que estão no escondido, que apenas Deus dá autorização para ser reveladas.

Interpretação do profundo e do escondido

Quando Deus me trouxe para São Paulo, Ele me fez compreender um sonho que eu havia captado apenas no profundo e não no escondido. Como já comentei, há sonhos que nos marcam e nos perturbam. Foi o caso desse sonho, que me acordou em uma madrugada. Acordei e fui orar. Então, tive a interpretação profunda de que eu deveria sair da presidência da igreja, só que não havia interpretado que eu também deveria sair da cidade. Não tive a revelação escondida do sonho naquele dia.

Para você entender, sonhei que estava em uma caminhonete, em uma estrada de chão vermelho muito embarrada, praticamente um atoleiro. Na caminhonete, estavam minha esposa, meus filhos e eu. Estávamos subindo aquele monte íngreme e lá embaixo, na várzea, vi um ônibus pelo retrovisor. O ônibus ziguezagueava e o motorista estava tendo um trabalhão para vencer aquele barro, mas estava vencendo, estava vindo. Observei que aquela caminhonete era tracionada, liguei a tração e venci aquele monte. Segui em frente abandonando aquele ônibus, porque no meu coração entendia que ele conseguiria continuar o seu trajeto. Entendi que o ônibus representava a igreja e que aquela caminhonete representava o meu ministério. Compreendi que precisava seguir em frente, que não podia mais ficar focado na igreja e ao mesmo tempo no meu ministério, tranquilizado de que a igreja poderia seguir andando sem mim. Essa foi uma revelação do profundo, mas não a revelação do escondido.

Fiz uma Escola de Profetas no Rio de Janeiro e muitas coisas deram errado no trajeto. Saímos de Santa Maria depois da meia-noite para pegar o voo que decolaria de Porto Alegre por volta das cinco da manhã. Chegamos ao aeroporto perto das quatro horas da manhã, prontos para pegar o voo e ir para o Rio de Janeiro. Porém, o voo foi cancelado e nós não conseguimos nenhum voo durante o dia, somente à noite. Passamos o dia inteiro no aeroporto e até dormimos, literalmente, sobre as malas.

No outro dia, eu estava orando antes da Escola de Profetas e o Espírito Santo perguntou-me se eu ainda não havia entendido que o meu tempo naquela cidade acabara. Disse ainda que eu precisava mudar para um lugar que tivesse aeroporto, e eu respondi: "Ok, Deus, vou para Porto Alegre". Então Deus me disse que se eu fosse para Porto Alegre ficaria pouco tempo lá, porque o que Ele queria fazer na minha vida seria em São Paulo. Eu já havia notado que o lugar para onde mais flui o meu ministério é São Paulo, mas morar nessa cidade definitivamente não fazia parte dos meus planos. Por isso levei um choque quando Deus me falou isso, mas entendi que Ele estava pedindo a minha obediência, e então me mudei para São Paulo; mesmo sendo uma decisão nada fácil por vários fatores particulares e familiares.

Vou relatar uma das coisas que dificultaram a minha decisão de mudança. Quando nos convertemos e entregamos a vida a Jesus foi tudo muito especial, mas sempre tive que trabalhar bastante para ter as coisas que Deus me concedeu. Eu só comprava carros parcelados, e precisava mandá-los para serem reformados, porque só tinha dinheiro para comprar carros velhos, não tinha condições de comprar um carro do ano nem tinha crédito para pedir um financiamento no banco. Lembro que o primeiro carro que minha esposa e eu compramos foi um fusca, que foi parcelado com o salário dela de estagiária no fórum.

Assim, na minha vida, o que conquistei e aonde cheguei foi trabalhando muito e sendo fiel a Deus; sendo organizado com as minhas finanças e cumprindo o chamado de Deus na minha vida. Graças a Deus nunca peguei nada que não fosse meu e tenho procurado viver uma vida reta.

Por isso, ao chegar em São Paulo, fiquei pensando no tempo que havia levado para conquistar as coisas, de ter comprado a casa que eu queria, um estúdio do jeito que queria e ter os carros que desejava. Em resumo, eu tinha a vida que sempre pedi a Deus. Meus filhos estudavam em um colégio bom e as coisas estavam funcionando muito bem em todas as áreas da minha vida.

De repente, quando me dei conta da decisão que eu havia tomado, levei um grande susto, pois teria que me desfazer de todas as minhas coisas, mudar de cidade e morar de aluguel. Cheguei a me perguntar se não estava retrocedendo na vida. Então, enquanto eu estava chorando, perguntando isso para Deus, Ele me disse que eu só estava tendo aquela crise porque havia esquecido do sonho com a caminhonete e com o ônibus. Foi aí que Deus me revelou que eu havia conhecido o profundo daquele sonho, mas não o escondido.

Tive que passar por algumas situações desnecessárias para entender o que Deus estava querendo falar verdadeiramente naquele sonho. A interpretação de que eu não deveria mais estar na presidência da igreja e focar o ministério estava certa; contudo, eu não havia entendido que deveria seguir em frente. Na verdade, esse é o mistério, esse é o escondido de Deus para minha vida.

Foi dessa forma que entendi que os sonhos são muito importantes, e que é necessário conhecer além do profundo em alguns deles, é preciso conhecer o escondido neles.

Posso dizer que meu ministério tem crescido de maneira extraordinária, muito mais do que quando eu estava no Sul, e Deus tem me honrado nos mínimos detalhes. Ele tem sido fiel comigo. Além disso, Ele me disse uma coisa que não vou esquecer facilmente. Disse que queria ver se eu ainda O obedecia. Deus estava provando o meu coração mais uma vez.

É essencial
entendermos
a vontade, o plano e
os mistérios de Deus,
porque é na obediência
ao que Ele nos mostra
que chegaremos
ao lugar que Ele
tem para nós.

Vinicius Iracet

VOCÊ JÁ SONHOU COM CACHORRO BRAVO?

APONTE A CÂMERA
PARA O QR CODE

Interpretações de sonhos

Sonho 1:

"Há treze anos, eu tive um sonho. A cama onde eu dormia se transformou em uma rua e nessa situação vi um ser com olhos vermelhos e cheiro muito forte correndo atrás de mim. Lembro detalhes dessa rua até hoje; era uma rua sem saída com uma lateral verde na qual eu me encostava. Aquele ser falava para mim que ia me matar com suas próprias mãos e, então, quando consegui clamar pelo sangue de Jesus, voltei. Até hoje eu tenho as imagens na minha mente, sinto o cheiro que senti no sonho e consigo ver as ruas exatamente como quando sonhei. É um sonho muito vivo em mim."

Interpretação 1:

O seu sonho é um tanto diferente, mas tem interpretação. A cama que se transforma em uma rua está ligada ao fato de você não parar de vigiar, porque o diabo sempre quis colocar um infiltrado para tentar tirá-la do caminho, para trazer tentações a você, situações da vida para que você se descuidasse e se perdesse. Se ficasse presa espiritualmente por aquele espírito que apareceu no sonho, ele iria governar a sua vida. Eu acredito que Deus estava te alertando para ter muito cuidado. Isso ficou gravado em você porque são tentações que você teria sofrido nos seus treze, catorze anos. Tentações vindas de espíritos imundos para tirar você do caminho, do propósito que Deus tinha para a sua vida. Espero que você tenha permanecido no caminho certo, pois era um alerta de Deus. Veja que aos seus treze anos Deus já falava com você por meio do sonho.

Sonho 2:

"Cinco anos atrás, sonhei que estava indo a um congresso, tudo indica que era uma excursão, e nós estávamos indo de ônibus. Eu estava do lado de fora desse ônibus escoltando o pessoal, guiando-o até o local. O que me chamou atenção é que havia homens de uniforme e cabelo comprido, todos com fuzis AK-47, conduzindo em segurança aquele ônibus. Eu cheguei perto do local e lá havia uma funerária, com caixões. Nos locais onde eu colocava a mão, estouravam as tampas dos caixões para fora e as pessoas saíam caminhando de dentro deles; isso me chamou muita atenção. Estava indo em direção ao local e antes de chegar havia um louvor, e esse louvor entrava em mim e eu acordei chorando muito."

Interpretação 2:

Esse sonho está relacionado ao chamado de Deus para adoração e louvor, que são extraordinários na sua vida. A única coisa de que não gostei do sonho foram as pessoas com fuzis, porque isso está relacionado a perseguições. Há muita contrariedade e pessoas que tentam impedi-lo de chegar no seu propósito, ou seja, existe muita, mas muita resistência espiritual. A palavra para você é: não pare por nada.

Profeta Vinicius Iracet

VOCÊ JÁ SONHOU COM TOURO?

APONTE A CÂMERA PARA O QR CODE

AS MÚLTIPLAS FACES DOS SONHOS

Na maioria dos sonhos – quando estes não são sonhos de visões –, não conseguimos desfocar do que está neles, porque são películas, cenas, fotografias, desenhos, imagens que vão aparecendo. É diferente de uma visão no sonho, em que geralmente há algum tipo de diálogo, de interação.

Dito de outra forma, nos sonhos vemos só o que Deus permite que vejamos. É diferente da visão dentro destes, onde temos mais autonomia para ver, distinguir, falar, tocar, pegar... enfim há uma interação com o ambiente. Assim, nas visões dentro dos sonhos podemos provar a água, caminhar e sentir os pés no chão e até a temperatura do piso, porque uma visão dentro dos sonhos tem uma dimensão maior, é uma camada além dos sonhos.

Essas são algumas faces dos sonhos. A partir de agora quero lhe apresentar mais outras nuances pertinentes e curiosas deles.

O sonho do faraó e a interpretação de José

(um profeta dos sonhos)

Visão horizontal

> "E aconteceu que, ao fim de dois anos inteiros, faraó sonhou, e eis que estava em pé junto ao rio."
>
> (Gênesis, 41:1 – ACF)

Preste atenção no detalhe do texto acima: faraó sonhou que estava parado junto ao Rio Nilo. Isso denota que ele estava em uma visão contemplativa no sonho e diz respeito a uma visão horizontal. Sempre que se tem uma visão dessa, são coisas da Terra que estão acontecendo; trata-se de uma visão de algo deste mundo.

Vale lembrar que aquilo que vem do alto para baixo pode significar intervenção e juízo de Deus. Por outro lado, aquilo que levanta de baixo para cima pode representar promoção, como também um ataque espiritual no ambiente tentando tomar conta de um cenário ou de um lugar.

De baixo para cima

"E eis que subiam do rio sete vacas, formosas à vista e gordas de carne, e pastavam no prado. E eis que subiam do rio após elas outras sete vacas, feias à vista e magras de carne; e paravam junto às outras vacas na praia do rio. E as vacas feias à vista e magras de carne, comiam as sete vacas formosas à vista e gordas. Então acordou Faraó."

(Gênesis, 41:2–4 – ACF)

Veja bem, "as vacas que subiam do rio". Primeiro, faraó se viu olhando para o horizonte contemplando o rio, depois viu as vacas subindo, ou seja, algo surgindo da terra, pois mesmo que viesse pelo rio, estava surgindo de baixo para cima. E isso está falando de algo que iria vir sobre a vida de faraó e da nação do Egito.

Tudo aquilo que vem até o homem é algo que está destinado a acontecer. Só não acontece se houver uma intervenção de Deus. Muitas pessoas sonham que estão cuidando, por exemplo, de crianças de outras pessoas, isto é, sabendo que não são delas. Aquilo que vem para os seus braços é algo que está no seu destino, que Deus está trazendo, que Deus está avisando que vai aparecer na sua vida.

O faraó, quando teve essa visão, entendeu que as vacas gordas estavam indo até ele. Essa parte foi maravilhosa, mas quando viu as vacas magras vindo também, foi perturbador, porque aquelas vacas magras acabaram devorando as vacas gordas. Isso fez com que o faraó acordasse. Essa visão dentro do sonho acordou faraó porque foi algo que o assustou. Ele entendeu que ali havia uma mensagem.

Agentes pacíficos ou agentes agressivos

"E eis que sete espigas miúdas, e queimadas do vento oriental, brotavam após elas."

(Gênesis, 41:6 – ACF)

Existem coisas de duas naturezas que vem a nós. Podemos chamá-las de agentes pacíficos e agentes agressivos. Os agentes pacíficos são concernentes a coisas boas, de Deus, mas um agente negativo ou agressivo, pelo contrário, é algo ruim que está para acontecer. Por exemplo, em um sonho com cobras no quintal, a cobra é um agente agressivo, negativo. Seriam agentes pacíficos se, ao invés deste animal no quintal, houvesse um bebê, dinheiro, ouro ou, ainda, um rio cheio de peixes no quintal, pois todos esses são coisas agradáveis.

As vacas magras no sonho de faraó representam agentes agressivos e as vacas gordas, agentes pacíficos. Nesse sonho, o agente negativo superou o positivo, já que as vacas e as espigas miúdas devoraram as vacas e espigas grandes.

O que chama atenção é que brotavam "sete espigas miúdas e queimadas". Isso também é um agente agressivo, pois é um fato negativo, desagradável aos olhos, já que ninguém gosta de uma lavoura mirrada e queimada. Todos esperam uma lavoura verde, viçosa, frutífera.

O vento nos sonhos

> "E eis que sete espigas miúdas, e queimadas do
> vento oriental, brotavam após elas."
>
> (Gênesis, 41:6 – ACF)

Outro aspecto que inquieta é que as espigas foram queimadas pelo "*vento oriental*". O vento no sonho é um elemento que precisa de muita atenção, pois pode representar algo ruim, diabólico.

Quando Jesus estava andando sobre as águas, a Bíblia diz que Pedro colocou o pé para fora do barco para ter com Jesus e sentiu o vento (João, 6:16–24). Esse vento não era apenas um vento natural, mas o vento da dúvida.

No episódio em que Jesus estava no barco com os discípulos, levantou-se uma grande tempestade e todos acharam que iam morrer, porque a água estava entrando no barco. Os marinheiros experientes viram que a situação estava ficando gravíssima. A Bíblia diz que então eles acordaram o mestre Jesus, que fez cessar a fúria do vento e a força do mar. Isso porque existiam ventos malignos que estavam agindo naquele momento.

Raramente o vento no sonho é bom, só será bom se for um movimento magistral da natureza ao nosso redor. Caso contrário, se, por exemplo, o vento estiver soprando ou batendo em uma porta ou arrancando coisas, é um vento maligno, um agente agressivo. Nesses casos, é necessário levantar-se contra esse vento, que representa algo que pode estar soprando contra a vida de uma pessoa. Eu costumo chamar esse tipo de ocorrência de "ataque em curso", o qual acontece no decorrer da vida de alguém e que Deus revela em sonhos.

Fatos espirituais e naturais

Os agentes agressivos e pacíficos dizem respeito à maneira do seu espírito comunicar à sua alma algo que está acontecendo ou que vai acontecer, porque o seu espírito percebe muito antes das coisas acontecerem no mundo natural. Por isso, Faraó viu primeiro no espiritual tudo que aconteceria no natural.

Atente-se para o fato de que tudo que acontece no mundo natural já aconteceu na dimensão espiritual ou está acontecendo naquele momento – chamo de *momentum*, o momento exato em que as coisas estão acontecendo.

Faraó acordou preocupado com aquele sonho. Um homem poderoso, que regia uma nação, a maior potência da época, um homem de autoridade, mas que se preocupou com um sonho. Quando uma revelação é de Deus, sempre vai dar esse estalo dentro de nós. E vamos despertar sabendo que temos uma mensagem de Deus.

Sonhos continuados e recorrentes

"Depois dormiu e sonhou outra vez."

(Gênesis, 41:5)

Note o que aconteceu: dormiu e tornou a sonhar. Muitos de nós já tivemos esse tipo de sonho, em que dormimos, sonhamos, acordamos, voltamos a dormir e continuamos sonhando. Estes são os que chamamos de *sonhos continuados*.

Um sonho continuado, ou contínuo, é um do qual se acorda, volta-se a dormir e sonha-se de novo, mas com a continuação do enredo. Esses sonhos são muito importantes porque Deus está falando algo urgente, em que está querendo revelar algo ou chamar a nossa atenção.

Os sonhos recorrentes são os que sonhamos várias vezes, frequentemente, com a mesma coisa. Isso porque é algo que está cravado na nossa linha de vida e que precisamos entender aquele enigma.

Sonhos

VOCÊ JÁ SONHOU COM COBRA?

APONTE A CÂMERA
PARA O QR CODE

Sonhos gravíssimos

"E não será conhecida a abundância na terra, por causa daquela
fome que haverá depois; porquanto será gravíssima."

(Gênesis, 41:31 – ACF)

Toda vez que se tem um sonho contínuo, que continua na mesma linha, no mesmo veio, podemos dizer, "na mesma pegada" – aquele sonho do qual se acorda, volta a dormir e continua sonhando –, pode ser algo gravíssimo que está para acontecer.

Algo gravíssimo é algo grande; pode ser uma grande conquista que Deus vai proporcionar, mas também pode se tratar de graves problemas que irão acontecer. Então, um sonho gravíssimo pode ser bom e ruim, porque ele pode apresentar várias etapas, como o sonho de Faraó, em que desfilaram as vacas gordas, as vacas magras, a espiga cheia e a espiga miúda, mostrando que havia algo bom, mas também algo ruim por acontecer. Entenda que, quando um sonho tem várias etapas, é necessário acompanhar os acontecimentos. Por um lado, os livramentos, as dádivas, as promessas de milagre, de intervenção; e de outro lado, os alertas de Deus. O que merece cuidado no sonho é quando estão falando sobre acontecimentos futuros.

De um mesmo lugar

"E eis que brotavam de um mesmo pé sete espigas cheias e boas."

(Gênesis, 41:5b – ACF)

Quando o trecho acima fala *"de um mesmo pé"*, está se referindo a um lugar, não apenas a uma pessoa. Não se trata mais de algo surgindo da água, mas algo surgindo de um lugar. Ou seja, o trecho em destaque está falando de algo que assolaria um ambiente e que, por mais que houvesse prosperidade ali, aquele lugar seria afetado por coisas pequenas que destruiriam as grandes.

Sequências nos sonhos

"E eis que sete espigas miúdas, e queimadas do vento oriental, brotavam após elas."

(Gênesis, 41:6 – ACF)

É importante compreendermos que, nos sonhos, o que aparece antes e depois são etapas importantes que formam uma sequência, representando uma coisa depois da outra. Por exemplo, se alguém tem um sonho em que no início vive uma experiência muito forte e outras subsequentes àquela, cada experiência traz informações sobre o que Deus quer nos alertar.

Por que sete anos?

> "As sete vacas formosas são sete anos, as sete espigas formosas também são sete anos, o sonho é um só."
>
> (Gênesis, 41:26 – ACF)

O que intriga é como o intérprete, José, soube que se tratava de sete anos. Porque não sete dias, sete semanas ou sete meses? Eu entendo que José soube que eram anos e não dias, nem semanas, porque, como profeta, não conhecia apenas o profundo, mas também o escondido. Era um homem que conseguia ver não só as entrelinhas, mas além delas.

Há muitas pessoas que têm uma interpretação básica das coisas – e não há nenhum problema nisso –, mas é preciso conhecer o que está escondido, o que está oculto, aquilo que é um enigma por trás dos códigos que estão aparecendo.

Conexões nos sonhos

É imprescindível entendermos que o assunto de um sonho pode dizer respeito à pessoa que sonha, mas também a quem está conectado àquela vida. O faraó era o principal líder do Egito, por isso também era o homem que carregava uma grande responsabilidade. Na verdade, o sonho veio a ele porque havia muitas pessoas conectadas à sua vida. Isto é, o faraó, como líder daquele império, recebeu uma direção de Deus, pois o que acontecesse iria afetar não apenas ele, mas também as pessoas que estavam conectadas nele.

Precisamos entender que, quando aceitamos a liderança de alguém, seja na instância que for, de alguma forma nos conectamos àquela pessoa. Assim como um pai e uma mãe também estão conectados aos seus filhos e o marido está conectado à sua mulher e vice-versa; ou seja, há uma conexão entre todos.

Por isso, quando Deus avisa que algo vai acontecer, pode ser referente às pessoas que estão conectadas a nós de forma direta ou indireta. Quanto mais proximidade tem uma pessoa de nós, mais podemos sonhar com ela.

Em outras palavras, nem sempre seus sonhos estão destinados a você, às vezes é apenas à pessoa para quem Deus mostrou o sonho. E, na verdade, é algo que está para acontecer na sua casa ou perto de você, principalmente quando são sonhos ligados a áreas vitais. Em resumo, sonhos desse tipo mostram que algo nos afetará profundamente e que podem alcançar um círculo maior dos relacionamentos. Por isso, tais sonhos merecem atenção redobrada.

Sonhos comunicam talentos

"Todo dom perfeito e toda a boa dádiva desce do
Alto, do Pai das Luzes, do Pai Celestial."

(Tiago, 1:17 – ACF)

Certa vez, tive um sonho em que estava recebendo um dom de Deus em minhas mãos. Depois de ter recebido, foi-me dada uma instrução. É por isso que eu acredito que os sonhos podem ser comunicações não apenas de mensagens, mas de dons, talentos, promessas, revelações de Deus...

É por isso, também, que no diálogo que Salomão teve com Deus ele recebeu sabedoria (1 Reis, 3:5–12). Na verdade, não foi apenas uma mensagem, um sonho profético, foi muito além, foi um sonho no qual algo foi entregue a Salomão.

A Bíblia fala sobre as comportas do céu, de janelas... (Malaquias, 3). As janelas não servem apenas para olhar o horizonte, mas também para olhar o alto; representam também uma visão a longo alcance. Tudo isso está ligado a coisas que Deus pode usar para nos abençoar.

Quando Jacó estava fugindo do irmão Esaú, a Bíblia diz que ele teve um sonho no deserto onde viu uma imensa escada na qual os anjos de Deus subiam e desciam. Ali ele recebeu promessas do Alto.

Veja como as direções são diferentes: uma promessa não virá de baixo para cima, nem de frente para você, mas virá do Alto, do alto para baixo. O que é horizontal é diferente do que é vertical. Assim como é diferente aquilo que desce do alto para baixo. Na mesma lógica, o que vem de Deus não vem de baixo. O que não é de Deus, por sua vez, vem de encontro a nós e tem uma aparência negativa ou agressiva.

Sonhos perturbadores

"E aconteceu que pela manhã o seu espírito perturbou-se, e enviou e chamou todos os adivinhadores do Egito, e todos os seus sábios; e faraó contou-lhes os seus sonhos, mas ninguém havia que lhos interpretasse."

(Gênesis, 41:8 – ACF)

A palavra "*perturbou-se*" indica que o sonho não saiu da cabeça de faraó, e isso ocorreu porque, quando Deus revela algo, o homem nunca esquece. Existe a exceção que comentei em capítulo anterior, quando o homem não lembra do sonho, mas fica agitado. Quando isso acontece, pode significar que Deus falou algo e que é preciso conhecer o profundo e o escondido para poder compreendê-lo, pedindo ao Espírito de Deus que traga à memória a totalidade do sonho. Sendo assim, vemos que, sempre que um sonho nos agita ou nos perturba (como o sonho de faraó), há algo que Deus quer nos comunicar.

Deus fala com quem?

"E faraó disse a José: eu tive um sonho, e ninguém há que o interprete; mas de ti ouvi dizer que quando ouves um sonho o interpretas."

(Gênesis, 41:15)

Veja que faraó não servia a Deus, mas reconheceu que seu sonho era algo proveniente Dele. Isso mostra que mesmo as pessoas que não conhecem a Deus, ou não O reconhecem como o Senhor de suas vidas, percebem quando algo é Dele e identificam quem tem um talento, um dom, algo diferente de Deus e em Deus. Isso porque as pessoas não ignoram o espiritual e tem até facilidade em lhe dar importância e valor, identificando, mesmo não tendo conhecimento, quando algo é espiritual.

Quando uma interpretação traz paz?

"E respondeu José a faraó, dizendo: isso não está em mim; Deus dará resposta de paz a faraó."

(Gênesis, 41:16 – ACF)

Observe que José afirmou que *"Deus daria a resposta de paz"*. Se lermos o contexto, verificaremos que a interpretação de José não foi positiva; contudo, foi correta. Assim mesmo, a informação negativa do que iria acontecer trouxe paz ao Faraó, justamente porque a interpretação veio de Deus. Em outras palavras, se a interpretação do sonho vem de Deus a pessoa tende a ir se acalmando, pois vai entendendo, relacionando aquela revelação ao que está vivendo. Por outro lado, quando a interpretação não é a correta, esta não traz alegria, nem satisfação, muito menos paz.

Notificações e verificações

"Então, disse José a faraó: o sonho de Faraó é um só;
o que Deus há de fazer, notificou-o a Faraó."

(Gênesis, 41:25 – ARC)

Note que impressionante, Deus notifica o homem em sonho. Entenda que uma notificação é um aviso oficial. Um oficial de justiça, por exemplo, quando notifica alguém, está avisando essa pessoa de algo. Está a convidando a comparecer em frente ao juiz ou avisando que há um processo a responder. De qualquer modo, o oficial de justiça notifica a pessoa para que ela fique ciente de que existe algo correndo na justiça, contra ou a favor dela.

José afirmou que Faraó havia sido notificado, ou seja, Deus o estava avisando sobre o que iria acontecer. Quando sonhamos, estamos recebendo uma notificação divina e nunca poderemos dizer que Deus não nos avisou. Geralmente, uma audiência não ocorre no mesmo dia da notificação; a pessoa notificada tem um prazo para procurar advogado, para tentar resolver a questão ou para se apresentar ao juiz. Deus também nos dá um prazo para aquilo que estamos sendo notificados no sonho.

Aí entra o enigma. Quando se recebe uma notificação, a primeira coisa que se deve fazer é conferir se ela é verdadeira, se realmente aquele homem é um oficial de justiça. Da mesma forma, todo sonho precisa passar pela verificação. Todo sonho tem o selo de Deus.

Em Jó, a Bíblia diz que Deus sela a instrução em nós para que não esqueçamos que esta vem da parte Dele. Assim, a notificação em sonho é aquilo que ficou cravado, como se fosse um selo de Deus ali. A pessoa fica inquieta, com o sentimento de que existe algo a ser desvendado no seu sonho. A pessoa sente que naquelas imagens foi carimbada, notificada.

Por que muitas pessoas passam por grandes dificuldades após terem sonhado?

Porque não deram atenção ao sonho. É como alguém pegar o papel do oficial de justiça e jogar no lixo, negar-se a ir à audiência para se defender, apesar de ter sido notificado. Entretanto, quando somos notificados por Deus, temos que ir ao tribunal dos justos, ao lugar onde Deus está e perguntar ao Espírito Santo do que se trata a notificação, do porquê daquele sonho.

E quando, mesmo assim, não conseguirmos entender, precisamos procurar um especialista, um profeta, alguém que entenda dos sonhos. Não se deve consultar um leigo nem pesquisar na internet qualquer bobagem, mas procurar alguém autorizado, alguém que entenda o que há por trás daquela notificação. Alguém que compreenda a "lei", alguém que possa chegar à interpretação, à revelação.

Sonhos determinados por Deus

"Ora, se o sonho foi duplicado a faraó, é porque esta coisa
é determinada por Deus, e ele brevemente a fará."

(Gênesis, 41:32 – AA)

Algumas pessoas sonham todos os dias, mas isso não significa que todos os sonhos sejam proféticos. Os sonhos que vem de Deus impactam, e são duplicados ou triplicados, isto é, são recorrentes. Esses sonhos contêm algo a descobrir porque são determinados por Deus.

A marca do profético

"Procure agora o faraó um homem criterioso e sábio e coloque-o no comando da terra do Egito. O faraó também deve estabelecer supervisores para recolher um quinto da colheita do Egito durante os sete anos de fartura. Eles deverão recolher o que puderem nos anos bons que virão e fazer estoques de trigo que, sob o controle do faraó, serão armazenados nas cidades. Esse estoque servirá de reserva para os sete anos de fome que virão sobre o Egito, para que a Terra não seja arrasada pela fome."

(Gênesis, 41:33–36 – NVI)

Perceba, no fragmento acima, que José não apenas deu a interpretação mas também a solução de como livrar-se do que estava para acontecer. Assim, acredito que a interpretação de um sonho não é apenas descobrir o que Deus está querendo mostrar, mas também entender o que fazer naquela situação.

É por isso que não basta apenas alguém se tornar um intérprete de sonhos, precisa ter conhecimento espiritual, discernimento e sabedoria de Deus, os quais são adquiridos pelo Espírito e pela palavra Dele. É impossível alguém interpretar um sonho de forma total, completa, sem o entendimento do Espírito.

Podemos ver vários tipos de interpretação na internet, mas a maioria não passa do "Cuidado com isso, cuidado com aquilo, é tal coisa que vai acontecer na sua vida..."; todavia, não há qualquer instrução por trás de tais interpretações. E por que não há instrução nenhuma? Porque não são dadas pelo Espírito.

Mesmo que a revelação esteja certa e que o entendimento esteja correto pela falta da mente do Espírito, não há uma maneira do avisado ser interrompido, uma vez que não há uma instrução por trás da interpretação.

Sonhos

VOCÊ JÁ SONHOU COM TRAIÇÃO?

APONTE A CÂMERA
PARA O QR CODE

A marca do profético não é apenas ter a interpretação, mas saber a instrução. Essas duas coisas precisam andar juntas.

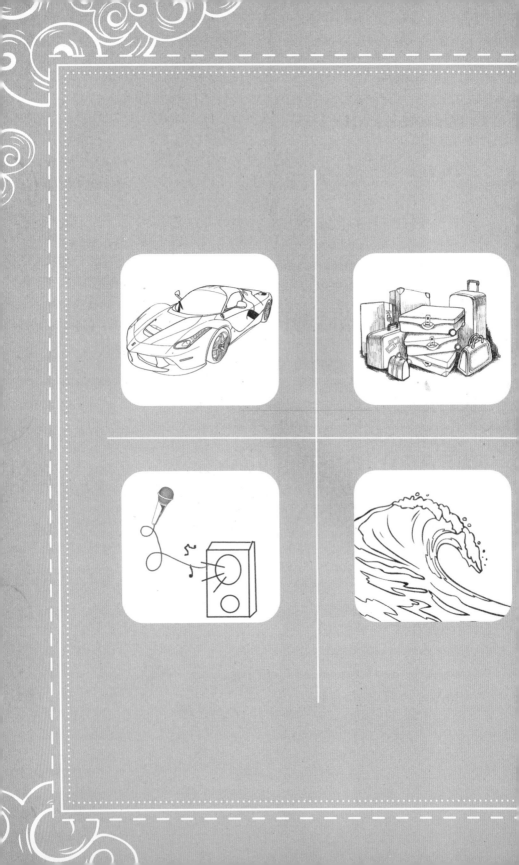

Interpretações de sonhos

Sonho 1:

"Tenho um sonho recorrente, que estou dirigindo um carro moderno para a época, mas não o controlo, somente dirijo; ele é frouxo, é solto. Esse sonho se repete há cerca de 26 anos e no começo era bem mais intenso."

Interpretação 1:

Esse sonho trouxe uma colaboração muito especial, pois se trata de um sonho recorrente. Essa é uma das marcas de que há algo que a pessoa precisa descobrir na sua vida. A imagem de carro, geralmente, está ligada à vida profissional ou ao ministério da pessoa, portanto está ligada a algo que você faz, que realiza; pode ser o seu trabalho ou um chamado de Deus. O interessante é que sonhou que não controla o carro, a direção é frouxa. Esses dois aspectos denotam que possivelmente está fazendo coisas que não te realizam totalmente. Provavelmente porque esse não é o propósito de Deus na sua vida. Há algo melhor de Deus para você. Também chama a atenção o fato de guardar esse sonho por 26 anos. Isso sinaliza que, desde o início, há muito tempo, Deus estava querendo alertá-la sobre isso. Sobre tomar decisões não por aquilo que os outros querem que faça ou por aquilo que as circunstâncias impõem, mas pela necessidade de conhecer o que

Deus tem para a sua vida profissional e seu chamado. A palavra de esperança é que nunca é tarde para entrarmos naquilo que Deus tem para nossa vida.

Sonho 2:

"Um sonho que me impactou foi o seguinte: eu voltava de viagem com meu esposo e os meus pastores. Tivemos que parar em Cuiabá para poder descansar. O meu esposo precisou seguir viagem a trabalho para outra cidade e eu tive que ficar em Cuiabá para poder voltar para Rondonópolis. Fui até os meus pastores e perguntei se eu podia voltar com eles, porém eles disseram que não tinha como, porque eu tinha muita bagagem e elas não caberiam no carro deles. Eu disse que tudo bem, saí de perto e entrei em um rio onde havia uma mulher. Eu fui até ela para ajudá-la a nadar porque viria uma onda maior. A sensação durante o sonho é que eu nadava como se estivesse no quintal da minha casa, parecia muito tranquilo. Assim que nós saímos do rio, ela foi para um lado e eu segui o meu caminho. Ao sair, eu encontrei uma caixa de som, um microfone e havia bares ao redor. Comecei a louvar ao Senhor e muitas pessoas saíram de dentro desses bares."

Interpretação 2:

O significado desse sonho é muito simples. Há certas coisas que já estão, podemos dizer, estabelecidas na igreja em que você congrega, isto é, funções que as pessoas já estão ocupando ministerialmente. Possivelmente esse sonho está relacionado ao seu chamado. Você gostaria de estar fazendo mais coisas na igreja, servindo mais a Deus, no entanto você não está conseguindo fluir, não há lugar onde possa realmente colocar toda a sua bagagem, ou seja, todo o seu potencial. Isso não significa que você deve sair da igreja, significa apenas que Deus tem muito mais para sua vida, além da igreja local. Depois você encontrou uma mulher, e esta te guiou pelo rio e a água entrou no seu quintal. Isso pode representar problemas, lutas que têm chegado muito próximas da sua casa, mas que você tem "tirado de letra", nada disso tem te abalado. Por isso, nessa parte do sonho há uma advertência: para cuidar de amizades que tentam levá-la na "onda", podemos dizer; pessoas que atraem problema, pessoas que querem colocar incertezas em sua mente e isso pode estar trazendo problema inclusive para a sua casa. Então, cuidado com relacionamentos, tem gente que é só problema, tem gente que atrai essas ondas gigantes. Na continuação do sonho, você viu o microfone, uma caixa e bares, isso significa que o seu chamado é para ganhar almas; seja através da palavra, seja através do louvor, o seu chamado é para ganhar pessoas que estão totalmente perdidas. Deus está lhe dando uma voz no meio de um povo, uma voz no meio de um lugar onde muitas pessoas vão se converter. Deus vai lhe usar além das quatro paredes.

TE 2:

AGEM
NHOS

Absolutamente tudo emite
um som, inclusive uma imagem.
Mesmo que não possamos ouvir com
os ouvidos naturais, podemos ouvir
através dos ouvidos espirituais.

Além disso, através dos olhos podemos ter uma informação do que está sendo visto. Em outras palavras, podemos interpretar as imagens, já que podemos ler figuras, e assim ouvir e entender o que elas estão comunicando. Sendo assim, compreender os efeitos sonoros do mundo espiritual deveria ser uma expertise, uma competência, comum a todos nós.

ENTRE SONHOS FIGURATIVOS E LITERAIS

Os sonhos podem ser figurativos ou literais. Tanto um quanto o outro possuem o mesmo peso, importância e riqueza. Às vezes, as pessoas se equivocam em pensar que os sonhos literais são mais fortes do que os sonhos simbólicos. Então acreditam que sonhar com cobra não é tão significativo quanto sonhar com uma Bíblia Sagrada ou sonhar com uma bela águia.

Todavia, os sonhos, sejam literais, figurados ou sejam com o próprio Deus – como Jacó que contemplou que o Senhor estava no alto da escada (Gênesis, 28) –, todos têm o mesmo grau de importância e podem ter a mesma riqueza. Por isso, não menospreze os sonhos e nunca esqueça que os sonhos figurativos possuem a mesma relevância, profundidade e valor que os sonhos literais.

Os sonhos figurativos são simbólicos, são figuras com informações, são sons emitidos através de imagens. Sonhos literais, por sua vez, são muito claros, por isso não há dificuldade de entendê-los. Ambos os sonhos exigem fé para buscar entender a direção e a instrução de Deus. No entanto, os sonhos literais exigem uma fé maior, suscitam uma fé mais audaciosa do que os sonhos figurados porque geralmente dizem respeito a uma instrução clara de Deus, em que Ele está ordenando movimento.

Sonhos figurados: figuras
e símbolos nos sonhos

> "Chegando, pois, Gideão, eis que estava contando um
> homem ao seu companheiro um sonho, e dizia: eis que tive
> um sonho, eis que um pão de cevada torrado rodava pelo
> arraial dos midianitas, e chegava até à tenda, e a feriu, e
> caiu, e a transtornou de cima para baixo; e ficou caída."
>
> (Juízes, 7:13 – ACF)

O fato em destaque é *o pão que caiu de cima para baixo*, é nisso que temos que focar, na ação e no efeito. O efeito-ação que está acontecendo no sonho é o *"pão de cevada rodando"*, e aquele pão bate na coluna e nas cordas da tenda e cai, ou seja, de cima para baixo.

Em capítulo anterior, falei sobre *"o que vem de cima para baixo"*, e aqui vemos um exemplo desta direção. A simbologia de cima para baixo, como já vimos, denota juízo ou justiça de Deus e isso mostra justamente como os sonhos relatam a Sua justiça e o Seu agir sobrenatural. O pão fala de providência, de que Deus iria providenciar o livramento de Israel através de uma intervenção sobrenatural e foi o que de fato aconteceu.

Podemos compreender a profusão dos simbolismos em Gênesis, 37, pois neste capítulo da Bíblia fala-se que José sonhou com o Sol, a Lua e onze estrelas e com os feixes no campo. Em Gênesis, 40, encontramos isso nos sonhos do padeiro e do copeiro, já que ambos estão recheados de símbolos.

A. Sonho com pássaros e outras coisas que aparecem acima da cabeça

"Eu também tive um sonho: sobre a minha cabeça havia três cestas de pão branco. Na cesta de cima havia todo tipo de pães e doces que o faraó aprecia, mas as aves vinham comer da cesta que eu trazia na cabeça".

(Gênesis, 40:16–17 – NVI)

O que chama atenção nesse relato é o "cesto de pão com todo tipo de obra de padeiro", que estava acima da cabeça do padeiro e o fato de que as aves do céu vinham e comiam daquela cesta. Simbolicamente, o que está acima da nossa cabeça significa algo que está além do nosso entendimento, além do que pensamos. Sonhar com coisas acima da nossa cabeça está relacionado a planos maiores, a coisas que estão para acontecer.

Contudo, nesse sonho, pássaros comeram o pão do cesto. Pássaros nos sonhos, quando pousam, sejam na cabeça ou no cesto – no caso eles pegavam pão do cesto –, estão relacionados a algo que está sendo retirado. Ocorreu que o padeiro acabou morrendo. Pássaros, em alguns sonhos, representam pensamentos, coisas que estão para acontecer, sentenças...

B. Sonho com mãos

"A taça do faraó estava em minha mão. Peguei as uvas, e as
espremi na taça do faraó, e a entreguei em sua mão."

(Gênesis, 40:11 – NVI)

O copeiro, por sua vez, sonhou estar entregando o copo nas mãos
do faraó. Este sonho figura restituição, no caso do seu trabalho,
pois as mãos no sonho falam de trabalho, de vida profissional,
de habilidades. Sucedeu que o copeiro foi restituído de suas funções em três dias.

Sonhos literais

"Então José, seu marido, como era justo, e a não queria
infamar, intentou deixá-la secretamente. E, projetando ele isto,
eis que em sonho lhe apareceu um anjo do Senhor, dizendo:
José, filho de Davi, não temas receber a Maria, tua mulher,
porque o que nela está gerado é do Espírito Santo."

(Mateus, 1:19–20 – ACF)

Esse sonho pode ser considerado literal porque o anjo veio, em
sonho, trazendo uma mensagem para José não deixar Maria.
Da mesma forma como apareceram para José, os anjos e o próprio Deus podem aparecer nos nossos sonhos. Nós podemos ter
experiências com anjos nos sonhos, de Deus mandar anjos para
nos dar segurança, nos entregar mensagens. Inclusive, anjos podem aparecer nos sonhos como crianças.

Eu, particularmente, já tive sonhos que me marcaram profundamente, como já relatei, em que estava no carro, minha esposa no banco de trás, e ao lado havia alguém que eu não consegui ver o rosto, mas sentia uma presença muito próxima. Então, sabia que havia alguém, mas não conseguia identificar. Certamente, era um anjo do Senhor ou o próprio Espírito Santo que estava ali me ensinando, instruindo, guiando e até mesmo confirmando a Sua presença na minha vida, no meu ministério.

Outra vez, tive uma visão em arrebatamento de sentidos, na qual vi anjos que estavam com muitos baldes e colheres nas mãos (conchas como as de feijão). Eram vários anjos na minha volta, mas não consegui olhar para o rosto deles, apenas conseguia ver o formato de algo como se fosse uma pessoa toda branca. Eles usavam vestes brancas também e pareciam ser totalmente de luz; me banhavam com um líquido transparente que parecia água, mas eu sabia que não se tratava de água. Banhavam todo meu corpo... e eu fiquei contemplando aquilo por muito tempo, custei a sair daquela visão.

Muitas pessoas sonham com a volta de Jesus, mas o rosto Dele ninguém consegue vislumbrar. Veem Seus olhos, a barba, mas nunca o rosto completo. Acredito que Deus não permite que alguém veja o rosto de Jesus, totalmente, para que o homem não faça uma caricatura e não crie uma imagem do rosto de Cristo.

Quero enfatizar que Deus pode mandar alguém no sonho para falar conosco.

Invólucro visionário

A Bíblia fala das experiências do profeta Ezequiel, em que Deus aparecia em visões; também fala das visões com anjos de Deus que o conduziam para dentro daquelas. Quando alguém consegue caminhar ou conversar com uma pessoa ou pensar dentro do sonho, geralmente este está no invólucro visionário. Porque, além de estar sonhando, estamos tendo uma visão dentro do sonho. Isso possibilita movimentos, tomada de decisões e falar com pessoas. É como se tivéssemos autonomia no sonho.

É importante frisar que na maioria dos sonhos não se tem autonomia. Geralmente, eles mostram coisas que acontecem e que não podem ser mudadas no decorrer deles. Isso porque o sonho em si normalmente é uma visão contemplativa. Entretanto, quando se interage nele estamos falando de um nível de sonho diferente: aqueles que estão envolvidos em um invólucro visionário.

Os sonhos, as decisões
e as direções

"E, tendo eles se retirado, eis que o anjo do Senhor apareceu a
José num sonho, dizendo: levanta-te, e toma o menino e sua
mãe, e foge para o Egito, e demora-te lá até que eu te diga;
porque Herodes há de procurar o menino para o matar."

(Mateus, 2:13 – ACF)

No relato acima, o Rei Herodes quis matar Jesus e por isso
mandou matar todas as crianças com menos de dois anos em
Belém. Nesse contexto, um anjo do Senhor apareceu novamente a José e disse para ele fugir com sua família para o Egito,
ao que José obedeceu.

Com isso, vemos que os sonhos literais geralmente estão ligados a decisões que estamos prestes a tomar e que fazem nos mo-
vimentarmos com muita rapidez. Portanto, os sonhos literais não
exigem uma grande interpretação, mas um movimento urgente.

Enquanto os sonhos literais exigem movimento, nos sonhos
figurados ou simbólicos dispomos de mais tempo para interpretá-los. Muitas vezes passam-se anos até que as interpretações
sejam plenamente alcançadas. Isso porque Deus não permite
que tenhamos acesso total ao mistério de determinados sonhos,
instantaneamente.

Como ter acesso aos mistérios

"E como um manto os enrolarás, e serão mudados. Mas
tu és o mesmo, e os teus anos não acabarão."

(Hebreus, 1:12 – ACF)

Neste texto há algo muito interessante, pois afirma que a Palavra de Deus muitas vezes está enrolada em um manto. Este é o manto do mistério. Deus enrola Sua palavra nele. A pergunta reside em como desenrolar o manto, como ter acesso à palavra que está enrolada nele.

Quando a mulher do fluxo de sangue (Marcos, 5:24–34) tocou na orla do manto de Jesus, ela antes precisou romper a multidão. Para desenrolar o manto, é necessário apenas tocar nele, porém é preciso ter fé e perseverança, é preciso romper uma multidão. Aquela mulher foi curada por ter tocado na orla do manto de Jesus. A Bíblia não fala de outras pessoas sendo curadas ali, somente depois quando Jesus ressuscita a filha de Jairo.

Portanto, para termos o acesso à virtude do manto, ao poder, é preciso tocar nele. E um detalhe: é necessário passar na frente de todo mundo, passar pelo meio de uma multidão. Isso significa que para ter acesso ao mistério, para ter acesso à palavra que está enrolada no manto de Deus, é preciso fazer diferença na multidão, é preciso tocar no manto com fé, em uma busca diferente da feita pela grande maioria.

Muitas pessoas acompanham Jesus, mas poucas o tocam com a fé daquela mulher. Precisamos estar abertos aos sonhos, à maneira sobrenatural com que o manto vai se desenrolar. Isso é um mistério de Deus.

Interpretações de sonhos

Sonho 1:

"Sonhei que estava em Campo Grande, onde minha irmã mora e onde eu morei na minha infância e adolescência. Olhava pela janela alguém me chamar, dizendo: 'Olha o que Deus tem para você'. Eu virava ao céu e aparecia uma chave muito grande, dourada, que se transformava em uma enorme trombeta no céu, e uma pessoa falava: 'É isto que Deus tem para você'."

Interpretação 1:

Achei maravilhoso esse sonho! Você olhou pela janela; janela significa o horizonte, bem como pode representar coisas de Deus. O fato de vir do céu reforça que realmente são coisas de Deus. Essa chave que viu no céu é para abrir alguma coisa, e se você viu isso no sonho representa Deus lhe entregando algo. O próximo passo é buscar onde essa chave encaixa, se é uma porta de emprego nova que Deus quer abrir, se é uma casa nova que Deus quer dar, se é um lugar em que Ele quer que você esteja. Como você estava em Campo Grande, na casa da sua irmã, creio que Deus está abrindo uma porta para você nesse lugar, também pode representar a salvação de alguém na sua família. Deus abrindo muitas coisas. A trombeta é um dos elementos proféticos nos sonhos, representa o anúncio, o alarmar de Deus; Deus avisando é o toque da buzina.

O que Deus estava dizendo é que possivelmente você será uma Atalaia de Deus, usada para ganhar a sua família, usada para declarar algo para a sua casa. Deus vai usá-la para ser boca Dele. É um sonho profético, veio de Deus.

Sonho 2:

"Tive um sonho com uma árvore em círculos, bem alta, e no topo dela tinha uma pombinha com dois periquitos e um ninho. Esses periquitos eram coloridos e vinham até perto de mim, cantando. A pombinha vinha, os pegava e levava para o ninho, mas eles retornaram para mim cantando. Na terceira vez um ficou no ninho, apenas o outro veio perto de mim, ficou cantando comigo. Eles eram lindos, vermelho, azul e verde bem vivos."

Interpretação 2:

Esse é um sonho bom, porque está diretamente ligado à sua família, a filhos ou netos que vão se dar muito bem profissionalmente. Mas também mostra que todos têm chamado de Deus e um deles vai se sobressair aos demais, no sentido que existe um grande chamado na vida desse "passarinho". Um detalhe importante nesse sonho é a pomba, que representa o chamado de Deus. É Ele também dando ideias muito boas para prosperar financeiramente, além de que serão usados no Reino, na obra de Deus. Esse sonho não é comum, é muito profético, é uma palavra para ser guardada e aguardada.

Profeta Vinicius Iracet

VOCÊ JÁ SONHOU COM CRIANÇAS?

APONTE A CÂMERA
PARA O QR CODE

Os sonhos são a forma de Deus chamar a nossa atenção sem distrações.

VOCÊ JÁ SONHOU COM DENTE QUEBRADO?

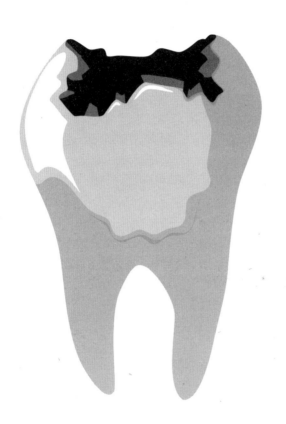

APONTE A CÂMERA
PARA O QR CODE

OS TIPOS DE SONHOS

Os sonhos podem estar ligados à imaginação, ao medo e ao estresse, mas não somente a estes. Na verdade, classifico os sonhos em quatro tipos.

Em primeiro lugar, é preciso dizer que nem todos são proféticos, isto é, nem todos são de Deus. Os tipos de sonho são: os imaginativos ou da emoção, os demoníacos, os de revelação e os de Deus.

Existe um grande equívoco quanto à veracidade e à compreensão de um sonho, pois não é porque não se teve o entendimento do sonho que este não seja de Deus. Muitas vezes as pessoas acreditam que um sonho seja de alma meramente porque não houve alguém que o entendesse. Entretanto, para se determinar se é de alma, de revelação, profético ou demoníaco, é preciso realmente entender de sonho.

Não há como fugir

Quando sonhamos, ficamos totalmente focados (não tem como a pessoa fugir do sonho). Assim, ele é uma das maneiras que Deus usa para nos conectar com Sua mensagem, Seu mistério. No sonho, não há como ignorarmos a voz e a mensagem de Deus.

O sonho aparece para todos e não tem como dizer que não se acredita em algo que está sendo transmitido, que está chamando a atenção. É muito interessante um relato encontrado em uma revista de psicologia, sobre um homem que sonhava com rato mordendo o seu estômago. Mais tarde veio a descobrir que tinha uma úlcera estomacal. Vemos assim que nem tudo é imaginação. Há coisas que são revelações.

A mensagem no sonho é muito objetiva. Na Bíblia, temos o relato de quando o rei Belsazar viu o dedo escrevendo na parede *"Mene, Mene, Tequel, Parsim"* (Daniel, 5:25–31). A princípio, ele não conseguiu entender o que significavam aquelas palavras, mas o profeta Daniel, quando "bateu o olho" naquelas inscrições, já sabia o significado delas. Isso porque ele compreendeu a mensagem por trás dos códigos.

Os sonhos estão cheios de códigos, no entanto estes precisam fazer sentido. Então, em uma interpretação de sonho aquilo que não faz sentido algum, que não tem nexo (ora diz para descansar, ora fala para se movimentar), traz uma ambiguidade e denota que no sonho há um conflito. Não é uma mensagem que se fecha, não é algo que se encaixa, então não se constitui em uma mensagem divina.

Outro detalhe importante é que os sonhos geralmente não possuem cor, e quando são coloridos existe uma mensagem implícita nisso, é Deus pontuando algo através daquela cor.

Tipos de sonhos

Sonhos imaginativos

Estes são sonhos que não chocam e não tem "pé nem cabeça", podemos dizer assim. Eles não seguem uma sequência, uma linha, são confusos. Isso é perceptível quando não conseguimos captar uma mensagem nítida. Além disso, há muitos elementos loucos, irreais e surreais, como, por exemplo, um elefante rosa ou um tigre verde. Estes são aspectos que não fecham direito, cores que não combinam com o animal, e podemos chamá-los de inverossímeis. Para que possamos entender, a cor rosa no sonho se encaixaria em uma roupa, o que pode estar relacionado a uma criança, o verde, por sua vez, é improvável para um tigre.

Esses sonhos imaginativos, que podemos chamar de sonhos da emoção, são muito confusos, muito estranhos, nada fecha com nada, nada faz sentido, por isso não conseguimos ter uma interpretação.

Sonhos demoníacos

Quando ocorrem os sonhos demoníacos, acordamos gemendo ou até mesmo gritando por socorro. Tentamos acordar e não conseguimos. Estes sonhos podem representar batalhas espirituais que se dão, até mesmo, em níveis profundos. Isto porque o nosso espírito está vendo algo muito perigoso no mundo espiritual, que pode estar de alguma forma trazendo pânico, medo, insegurança.

É preciso ter muito cuidado com alguns sonhos demoníacos, uma vez que se corre o risco da pessoa até entrar num estado de pânico tão grande que fica desenfreada no sonho e acorda com o coração que parece que vai "sair pela boca", apreensiva e às vezes até suada.

Existem também sonhos demoníacos em que as pessoas estão tendo relações sexuais e muitos destes são reais, no sentido que os indivíduos se relacionam com demônios. Mesmo que isso pareça impensável aos olhos humanos, é verdade: há pessoas que acordam machucadas ou com uma presença maligna em cima delas.

Já ouvi relatos de mulheres que têm relações à noite com pessoas desconhecidas, e muitas vezes isso é espiritual; são espíritos chamados de "marido da noite" ou "dama da noite". É totalmente diferente de sonhar tendo relação com o marido ou a esposa. São casos de pessoas que não conseguem sair do sonho e que às vezes acordam machucadas no corpo físico. Inclusive, eu mesmo já atendi pessoas que me mostraram as costas machucadas, braços e pernas com hematomas.

Portais do inferno

Há coisas muito perigosas, em especial quando o medo é despertado no ser humano, pois por trás do medo pode-se abrir um portal. É por isso que há alguns filmes de terror em que há influência espiritual. Há exceções, mas muitas destas películas abrem portais malignos. O pior de um filme ocultista ou de intenso terror é o abrir portais. Filmes ocultistas abrem portais de incredulidade, de batalha na mente, de ação nos sonhos, que se transformam em verdadeiros pesadelos.

Cuidados com os portais

A Bíblia fala que quando o povo de Israel estava por sair do Egito, ele deveria pegar o sangue do cordeiro e passar nos umbrais da casa, pois o Anjo da Morte não entraria onde tivesse a marca do sangue (Êxodo, 12). Esse episódio está falando de portais, pois quando a Bíblia fala de umbrais está se referindo a eles. Assim, se uma casa tem a marca do sangue de Jesus (ou seja, seus moradores são crentes, servem a Deus, amam a palavra), aquela casa está protegida espiritualmente. O diabo não consegue, geralmente, entrar em casa de pessoas que servem a Deus. Mas se ele conseguir abrir um portal dentro da casa, ele entra.

Eu estava atendendo uma senhora do exterior e, enquanto estávamos conversando, ela pediu oração pelo seu filho, e atrás dela eu vi um dragão de duas cabeças, era um boneco. Não foi uma visão espiritual, foi algo a que Deus chamou minha atenção. Vi o boneco no meio dos brinquedos do filho dela e lhe perguntei o que era aquilo. Ela disse que era um brinquedo do seu filho, então lhe expliquei que dragão é a figura do diabo e não era bom eles terem aquilo em casa. A caveira é outra coisa que não convém gostarmos e termos, pois ela é símbolo de morte.

Esses são exemplos de objetos que a pessoa não pode ter dentro de casa porque provocam peso e ataques espirituais do mal.

Isso é tão forte que no caso daquele atendimento me afoguei antes de falar do dragão. Eu apontava e não conseguia falar, simplesmente me engasguei. Tive um ataque espiritual naquele momento, mas o diabo não podia me matar, porque sou um ungido do Senhor. Então, quando fui recuperando a voz disse para a mulher que aquilo não era um mero brinquedo, mas uma representação de Satanás dentro da sua casa. Então, ela relatou que seu filho andava achando que ia morrer engasgado. Veja como Deus revela o quanto as coisas espirituais são reais. Por isso temos que tomar cuidado com o que entra em nossas casas.

As legalidades da noite

Deus governa o dia e governa a noite (Gênesis, 1), mas é à noite que existem as maiores legalidades espirituais. No mundo espiritual, demônios que se infiltram na noite, igualmente perturbam à noite. Tanto que existem muitas batalhas espirituais, seja para pegar no sono, seja por causa de outras lutas espirituais, porque os demônios sabem que durante o dia a pessoa trabalha e geralmente não tem tempo para prestar atenção em algumas coisas espirituais. Então é à noite, quando muitos estão dormindo, que existe uma forte atuação maligna. É por isso que devemos ter muito cuidado com aquilo que fizemos ou assistimos durante a noite.

Paralisia do sono

A paralisia do sono é uma abertura espiritual gerada principalmente pelo medo. Quando ela atua a ponto de quase matar alguém, de sufocar uma pessoa, significa, por um lado, que Deus tem grande projeto na sua vida – ou seja, que ela possui um diferencial –, mas também mostra que houve uma legalidade. Geralmente, pessoas que têm insegurança, medo ou baixa autoestima, ou se apegam ao ocultismo, abrem espaço para o inimigo tocar no seu corpo, provocando sensações de sufocamento. Isso porque o diabo intenta, de todas as formas, destruir tais pessoas. Assim, muitas paralisias do sono são realmente ataques espirituais.

Sonhos de revelação

Tricotômicos e reagentes

Somos um espírito cuja alma habita um corpo, então somos seres tricotômicos. Compreender isso é a base da nossa relação com o espiritual. Quando dormimos, nossa alma continua em funcionamento, mas está no estado de descanso, de refrigério; todavia nosso espírito não dorme. O espírito pode ficar mais experiente, mais maduro, apesar de continuarmos sendo a mesma pessoa (tendo a mesma personalidade), mas ele nunca dorme.

Além disso, independentemente da religião ou confissão de fé, todos têm revelações, porque todos vieram de Deus. Há algo divino em todos os seres humanos e essa parte divina de Deus é o nosso espírito, é ele que interage com o mundo espiritual.

Isso significa que somos seres reagentes. Reagimos a ambientes, a lugares e a pessoas, e, mesmo quando nosso olho natural não vê algo o espírito vê e reage àquilo. Sonhos demonstram, justamente, que o nosso espírito nunca dorme.

Nosso espírito não dorme

"E muitos dos que dormem no pó da terra ressuscitarão, uns para vida eterna, e outros para vergonha e desprezo eterno."

(Daniel, 12:2)

É preciso entender que o homem tem um espírito que nunca dorme, um espírito indestrutível, eterno. O corpo é limitado, o corpo é corruptível, mas o espírito não. Assim, o corpo pode dormir, mas o espírito não. Quando fala que "do pó da terra ressuscitarão", está falando do corpo e não do espírito. É por isso que, quando dormimos, o espírito não dorme, o espírito se mantém acordado. Ele não precisa descansar como o corpo, não precisa comer comida natural como o corpo. Ao contrário, a comida do espírito é a palavra de Deus, o descanso do espírito é a presença de Deus. O espírito se alimenta de coisas diferentes do corpo.

Dormimos porque precisamos nos renovar, "recarregar as baterias", nosso corpo necessita disso, mas o nosso espírito não, por isso não dorme. O que significa que mesmo o corpo deitado, os olhos fechados, o espírito está vendo tudo que está ao redor.

Isto é, o nosso espírito vê coisas que os nossos olhos naturais muitas vezes não veem.

Não estou falando aqui em terceiro olho. Muitos falam em abrir o terceiro olho, abrir os chacras no corpo, mas nada disso é preciso, tudo que precisamos é mergulhar em Deus para que nosso espírito possa ver com clareza as coisas espirituais e comunicar isso à nossa alma.

O nosso espírito pode ver o que opera no mundo espiritual contra nós, porque o espírito olha onde nossos olhos naturais não conseguem ver.

A comunicação entre o espírito e a alma precisa de treino

Quero abrir parênteses para o fato de que há pessoas que têm dificuldade de sonhar. Entendo que isso ocorre, em primeiro lugar, porque Deus tem outro meio para falar com elas, mas também denota a falta de treino de uma comunicação entre o espírito e a alma.

Quando se está dormindo, o espírito comunica; é como se ele estivesse descarregando as informações do que aconteceu durante o dia para a alma. Algumas coisas a própria mente do ser humano já descarta, mas quando é Deus mostrando a alma não podemos descartar.

Lembre-se que, quando Deus fala, Ele choca, inquieta e perturba o nosso espírito e automaticamente perturba a nossa alma. Assim, muitos dos sonhos que estamos acostumados a ouvir e a ter são comunicações do espírito para a alma. Daí vêm os sonhos que nós chamamos de revelação.

Paz x agonia nos sonhos

Vemos que o faraó, no sonho que já abordamos, estava em paz dentro do sonho, mas quando acordou, perdeu completamente a tranquilidade. A pergunta que faço é: como que o faraó estava em paz em um sonho que predizia uma grande fome no futuro, que apagaria anos de abastança, não apenas no Egito, mas em muitas partes do mundo? A resposta é que se temos paz dentro do sonho é porque o nosso espírito sentiu uma instrução de Deus ali para enfrentarmos uma realidade. Geralmente, esse tipo de sonho diz respeito a coisas que acontecerão a longo prazo.

Diferentemente, há pessoas que estão vivendo tranquilamente, mas quando dormem passam por situação agonizante, de desespero, e começam a gemer ou se debater. Esses sonhos em que há agonia sinalizam avisos do futuro e batalhas espirituais.

Ocorrem, na verdade, muitos sonhos em que não há paz. A Bíblia relata o sonho da mulher de Pilatos (Mateus, 27), no qual ela sofreu muito por causa de Jesus. Tanto que disse ao marido que ele não se metesse na causa daquele homem, porque ela sofrera por Ele durante a noite. Se há sentimento de agonia, preocupação, perturbação dentro do sonho significa que há coisas iminentes, que estão para acontecer, coisas que ocorrerão a curtíssimo prazo e que muitas vezes tem pouca instrução. O melhor nesses casos, além de buscar a interpretação, é entrar em oração imediatamente para que Deus venha guardar e livrar do perigo quem e o que estiver ao seu redor.

Isto é, sonhos de paz e sonhos angustiantes são diferentes, porque em um sonho em paz há instruções detalhadas do que fazer. No sonho de agonia – que pode ser inclusive um sonho de Deus –, não há grandes instruções.

A historicidade dos elementos nos sonhos

Algumas pessoas já me indagaram do porquê antigamente as pessoas não sonharem com carros. A questão é que o espírito não pode comunicar algo que não existe. Então, antigamente as pessoas sonhavam com cavalo, com uma carroça, uma carreta de boi.

José (Gênesis, 37), no seu sonho, viu as estrelas, pois estava no campo e naquela época não havia Netflix, TV a cabo ou YouTube, então na maioria das noites as pessoas ficavam olhando para as estrelas. Essa era a TV de antigamente: estrelas cadentes, o Sol que nascia e o Sol que se punha, a Lua e suas fases, crescente, cheia… Obviamente, Deus, nesse contexto, se comunicaria com eles usando os corpos celestes e a natureza.

Diferentemente, as pessoas sonham hoje, por exemplo, com coisas bem nojentas como fezes no vaso do banheiro. Antes não tinha banheiro, então eles sonhavam com latrina, e quando não tinha latrina era fezes no campo mesmo. Ou seja, Deus sempre usou algo comum a cada época e cultura para o espírito poder comunicar à alma de uma forma que todos entendessem e entendam. Deus usa a linguagem que compreendemos para falar, porque Ele quer se fazer entender.

Os sonhos são a linguagem de Deus, é uma das maneiras Dele comunicar-se. Por isso, é preciso compreender que Deus usará coisas que conhecemos para estabelecer uma comunicação conosco.

Vinicius Iracet

VOCÊ JÁ SONHOU COM PEIXES?

APONTE A CÂMERA
PARA O QR CODE

O que somos sem o fôlego de vida?

"E formou o Senhor Deus o homem do pó da terra, e soprou em suas narinas o fôlego da vida; e o homem foi feito alma vivente."

(Gênesis 2:7 – ACF)

Sem o fôlego de Deus, o homem é apenas um corpo, apenas um boneco formado do barro, que veio da terra. Todavia, com o espírito (o fôlego de vida soprado nas narinas do homem), ele passou a ser alma vivente. Ou seja, o corpo foi criado primeiro e depois o espírito e a alma.

E ainda, a afirmação bíblica (Eclesiastes, 12:7) "E o pó volte à terra, como o era, e o espírito volte a Deus, que o deu" está dizendo que o corpo vai voltar para a terra, mas que o espírito vai voltar para Deus. Logo, o espírito não dorme, o que dorme é o corpo. Portanto, só somos *alma vivente* porque há um *espírito de revelação* em nós que veio do próprio Deus, da Sua natureza.

A central de comando

Outra coisa que é imprescindível na interpretação de um sonho chamo de *central de comando*. A central de comando que todo homem deve ter é *bons ouvidos para aplicar aquilo que pouco entendeu*. Isso porque nem todos vão entender bem o que Deus falou, mas se tiver apenas uma noção, já poderá aplicar.

Depois da clareza e da percepção, é preciso a aplicação daquilo que se interpretou.

SONHOS PROFÉTICOS
Sonhos do Espírito Santo

(totalmente divinos)

"Eu disse: vós sois deuses, e todos vós filhos do Altíssimo."

(Salmos, 82:6)

Jesus disse: "Vós sois deuses"; não com D maiúsculo, mas com d minúsculo, porque obviamente somos muito menores do que Deus. Entretanto, temos a natureza Dele, ou seja, temos algo divino, algo espetacular, que está em todos. Isto está tanto na pessoa iletrada quanto no acadêmico, no mestre e no doutor. Está também naquele que conhece quatro, cinco idiomas, é um poliglota, está no visionário, naquele que tem riqueza assim como naquele que é simples.

Os sonhos de revelação são divinos, todavia usam um elemento de revelação humano, mesmo que da natureza de Deus em você: o seu espírito. O fato é que todos possuem a natureza de Deus dentro de si. Claro que, quando aceitamos Cristo Jesus como nosso Senhor e Salvador, nos tornamos filhos de Deus, nascemos de novo e o nosso espírito – que antes estava totalmente morto por causa do pecado (não estava dormindo), no sentido que ele já estava destinado para o Inferno – recebe novo destino: o Céu.

A glória de deus e os sonhos

"Os céus proclamam a glória de Deus."
(Salmos, 19:1)

Aquilo que é lindo e que foi criado por Deus possui o toque da Glória de Dele; e tudo o que tem o toque da Glória de Deus proclama quem é Ele. Por isso, quando um sonho vem do Espírito Santo, ele vem com um toque a mais. Já não é apenas um sonho de revelação, de algo que vai acontecer nos próximos dias, mas que pode acontecer como a profecia que Abraão recebeu (que se cumpriria mais de quatrocentos anos depois).

Como um homem que não tinha acesso aos filmes, às notícias, a toda a tecnologia e todo o conhecimento futurístico, consegue ver quatrocentos anos depois? Como consegue ver tão longe, tão distante? É pelo Espírito, por essa glória de Deus, que tocava em Abraão e que fazia com que a natureza dele ouvisse a voz de Deus, recebesse as promessas de Dele e entendesse o que ia acontecer no futuro. Estamos falando realmente de um sonho profético, de uma revelação de Deus sobre algo que iria acontecer somente séculos depois.

Quando a glória de Deus toca na natureza Dele que temos dentro de nós, somos mudados, transformados em outra pessoa, e, automaticamente, existe um toque tão poderoso de Deus que essa natureza é ativada de uma maneira sobrenatural. Homens que estão debaixo da Glória de Deus, a Bíblia declara que são aformoseados (Provérbios, 15:13). Quando a Bíblia menciona o

Senhor Jesus, sempre fala de uma visão gloriosa, e isso é a glória de Deus em uma natureza.

Quando a Glória de Deus ativa o espírito de um homem, ela o muda completamente. Os sonhos proféticos, diferentemente dos sonhos de revelação, geralmente estão ligados ao futuro e a grandes coisas, grandes eventos que Deus está para fazer na vida de uma pessoa ou até mesmo em dimensões mundiais.

A sabedoria escondida do alto

Os sonhos proféticos são muito poderosos. Na verdade, sonhos proféticos e de revelação são a sabedoria escondida do Alto. Não teremos acesso a esta sabedoria sem destapar o manto, sem tirar o invólucro. Só assim obteremos a mensagem, a interpretação do que está ali no oculto, no escondido.

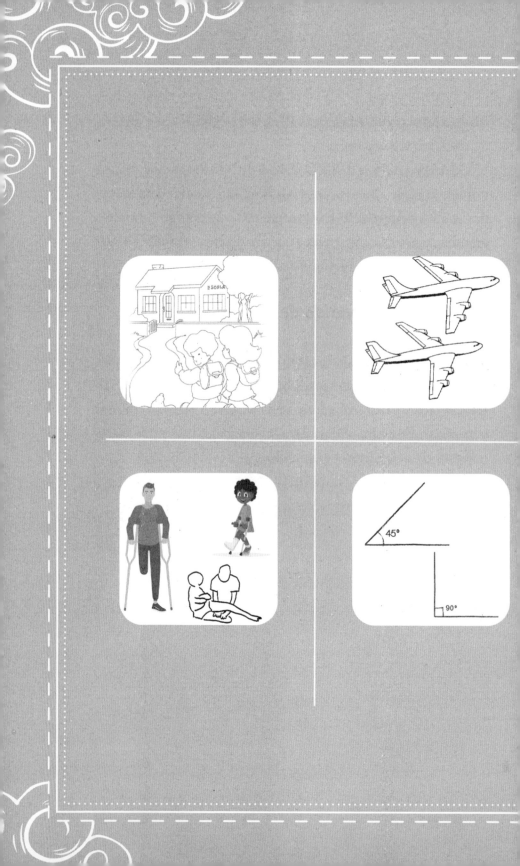

Interpretações de sonhos

Sonho 1:

"Sonhei que estava próximo de minha casa de infância e era ainda madrugada, próximo ao amanhecer. Ouvi, muito forte, o barulho das turbinas de um avião e alguém me falou: "Eles vão para os Estados Unidos". Ao mesmo tempo, me encontro no aeroporto, e da pista observo um avião decolar a 45 graus e outro avião maior decolando a 90 graus. Enquanto isso, eu me via no ar em um helicóptero, escoltando, fazendo a segurança desses aviões, olhando para um deles com zelo, com amor, com cuidado; e esse helicóptero era mais rápido do que os aviões e ao mesmo tempo estava conectado com a equipe interna aguardando as aeronaves."

Interpretação 1:

Esse sonho é profético, porque está totalmente relacionado a algo que Deus quer fazer no futuro na sua vida e na sua casa, na sua família. Por isso você precisa acompanhar algo que está para acontecer. Você vai fazer parte disso, vai ter uma conexão muito forte. Como era exterior (Estados Unidos), essa parte do sonho está falando de pessoas ou lugares com quem você vai se conectar. Isso vai fazer com que você tenha um crescimento muito maior na sua vida.

Algo interessante é que nesse sonho você viu o helicóptero voando mais rápido do que o avião. O que significa que os sonhos de Deus e os projetos Dele são maiores do que os seus. Esse é o significado. Você disse também que viu uma angulação de 45 graus e a outra de 90 graus. Entendermos medidas nos sonhos é algo importante. Poucas pessoas têm esse tipo de discernimento dentro do sonho, mas todos eles relacionados a medidas exatas são instruções de sabedoria de Deus e está ligado, geralmente, a algo que Ele vai lhe levar a fazer, algo que Ele vai mexer em você. Sempre que houver medidas no sonho ou angulações é algo que a pessoa deve fazer. Outro detalhe: 45 = 5 + 4 = nove dons do Espírito, capacitação divina, habilidade de Deus; 90 = 9 + 0 = 9, duas vezes o número 9 se repetindo dentro do mesmo sonho. Isso significa que Deus quer capacitar tanto você quanto a sua esposa, é um trabalho que Ele tem para vocês dois, é um projeto de Deus para o casal.

Sonho 2:

"Sonhei que olhava para o céu e ele estava repleto de aviões, jatos de combate como se fossem aviões de guerra. Eu olhava para baixo e tinha um campo aberto, lá eu via um monte de pessoas machucadas. Eu fui me aproximando para socorrer aquelas pessoas e dei de cara com um crente. Olhei para ela e ela estava toda machucada, mas sem os pés. Eu seguia correndo para ajudar outras pessoas, e todas estavam sem pés e eram pessoas cristãs.

Eu tentava ajudá-las, colocá-las de pé, mas não conseguia, elas caíam e eu estava confuso."

Interpretação 2:

Esse sonho está relacionado a pessoas que Deus destinou a você para ajudá-las, pessoas que têm sido magoadas, escandalizadas por líderes cristãos, que já estão em um alto lugar e que não tem nenhum tipo de constrangimento, nem de escrúpulo, de estarem machucando quem está abaixo deles. Isso está ligado ao chamado, ao propósito que Deus tem para ganhar pessoas que estão afastadas da igreja. É um ministério evangelístico ou de intercessão.

O MAPA DO TESOURO NOS SONHOS

As instruções nos sonhos

"Porque a palavra de Deus é viva e eficaz, e mais penetrante do que espada de dois gumes, e penetra até à divisão da alma e do espírito, e das juntas e medulas, e é apta para discernir os pensamentos e intenções do coração."

(Hebreus, 4:12 – ACF)

Esta afirmação enfatiza que a palavra vai a lugares escondidos. A palavra e o poder de Deus vão a lugares onde não tem luz, onde há ignorância ou incredulidade. Além disso, consegue conectar coisas onde a palavra humana não consegue chegar.

Elementos básicos nos sonhos

O ambiente do sonho é muito importante. Faz toda a diferença haver água ou terra nele. É preciso observar se o sonho se passa no céu ou se é dentro de uma casa. Também é fundamental notar se no sonho há uma casa nova ou velha; se a pessoa que está sonhando está no alto de um prédio ou em um túnel. É importante também, no sonho, quem está nele; se há pessoas desconhecidas, pessoas que estão falando outras línguas...

É preciso entender também o tipo de sonho, se há crianças, se há alguém amamentando um bebê ou se casando no sonho... Tudo isso é importante, pois os elementos de um cenário são as chaves para a interpretação de um sonho.

Unção de reis

"A glória de Deus é ocultar certas coisas; tentar
descobri-las é a glória dos reis."

(Provérbios, 25:2)

Um rei investiga, e a Bíblia diz que nós temos unção de reis. Todavia, a unção de rei e sacerdote que está descrita na Bíblia só pode ser acessada por nobres. Só nos tornamos nobres quando começamos a praticar os princípios do Reino de Deus. Ninguém que deseja tornar-se nobre para Deus pode ignorar os princípios do Reino. Um detalhe importante é que reis são colocados no trono por sucessão hereditária ou por conquista e, geralmente, reis que conquistam perduram mais tempo no trono. Isso porque sabem o preço que pagaram para estarem onde estão.

Imagine a situação de um rei frente a um caso complicado, como aquele narrado nas Escrituras Sagradas, em que Salomão teve que julgar a causa de duas mulheres, que tinham cada uma um filho e moravam na mesma casa. Uma disse que o filho da outra havia morrido, porque queria ficar com a criança viva. Salomão teve que usar a sabedoria de Deus para poder investigar quem estava com a razão naquele momento (1 Reis, 3:16–28).

Para recebermos essa unção de rei, para termos os olhos de Deus em nós, há um caminho a trilhar: o caminho da renúncia, o caminho do amor por Jesus, o caminho da entrega e da rendição.

Muitas pessoas têm sonhos, mas a maioria delas não entende as instruções. Podemos dizer que estão no limbo, onde estão totalmente perdidas. Elas não sabem o que significa o que sonharam, porque está faltando luz, clareza, percepção e está faltando mais da Palavra de Deus dentro delas.

As instruções, algumas vezes, vêm de imediato, outras vêm na oração após o sonho. Quando não recebemos uma instrução de imediato precisamos ir para oração e se não a recebermos na oração devemos procurar alguém para nos ajudar com o sonho.

Instruções para evitar o perigo

"Apegue-se à instrução, não a abandone; guarde-a
bem, pois dela depende a sua vida."

(Provérbios, 4:13 – NVI)

De repente, em sonho ou visão, Deus nos mostra que não devemos fazer determinada viagem. Vou lhe aconselhar, se você orar e não sentir paz em viajar, não viaje, siga a instrução do Espírito Santo. Há pessoas que já evitaram acidentes porque sonharam com morte, com algo ruim; acordaram no meio da noite sentindo o seu espírito perturbado. Outros, ao contrário, tiveram grandes problemas, que Deus já havia avisado há muito tempo, mas que simplesmente ignoraram as instruções.

Bloqueios espirituais

> "Aplica o teu coração à instrução e os teus
> ouvidos, às palavras do conhecimento."
>
> (Provérbios, 23:12 – ACF)

Há momentos em que, aparentemente, algumas instruções não fazem sentido. Isso acontece porque, embora sirvamos a um Deus de fé, às vezes os nossos sentidos se convertem no inimigo da nossa fé. Ou seja, em vez de sermos espirituais, muitas vezes bloqueamos o espiritual e só pensamos de forma natural.

Por exemplo, se Pedro pensasse: "Como é que eu vou andar sobre as águas?", essa história não estaria na palavra de Deus. Pedro teve que andar pela fé, teve que seguir as instruções. Diga-se de passagem, foi uma instrução muito louca, muito radical, pois Jesus disse a ele: "Tira seu pé do barco e vem, Pedro" (Mateus, 14:28–30).

Por mais que Pedro tivesse ouvido várias histórias de super-heróis quando criança, ele nunca teria se imaginado andando sobre as águas, mas naquele dia andou. Contudo, ele só conseguiu essa proeza até o momento em que sua fé foi confrontada e bloqueada pelo medo e pela dúvida.

Sonhos são armas

"O senhor firma os passos de todo aquele cuja conduta lhe agrada!"
(Salmos, 37:23 – KJA)

Em outra versão, diz "Jeová tem ordenado os passos do homem e Ele aprova o seu caminho". Aqui fala de um Deus que aprova o caminho do homem. Tanto aprova quanto desaprova. Aí vem o discernimento espiritual: sonhos não são para temê-los, mas para usá-los a nosso favor.

A igreja possui o arsenal de guerra espiritual mais poderoso que existe na galáxia inteira, mas ela não usa a maioria das suas armas. Acostumou-se com o feijão e arroz e na maioria das vezes não quer ter acesso às iguarias que estão na mesa do Rei dos reis e do Senhor dos senhores.

Os sonhos não são para nos amedrontar ou para nos deixar perturbados a vida inteira, são instrumentos de Deus, são armas espirituais para vencermos aqui na Terra.

Instruções estabelecem cursos

"Instruir-te-ei, e ensinar-te-ei o caminho que deves seguir; guiar-te-ei com os meus olhos."

(Salmos, 32:8)

Em outra versão está escrito: "Eu farei você entender e te ensinarei o caminho que deve andar e sobre ti fixarei os meus olhos." Isto significa que as instruções de Deus são os Seus olhos fixados em nós.

Entendo que as instruções de Deus estabelecem um curso, isto é, apontam detalhadamente o mapa do tesouro. É como se o mapa se abrisse e Deus marcasse o X onde está o tesouro, onde precisamos acessar. Quando compreendemos as instruções, começamos a ver a saída do problema e a entender o que fazer para ter o livramento daquilo que Deus revelou em sonho ou em visão. Isso porque são os olhos de Deus colocados em nós.

Além disso, quando Deus dá instrução em sonho significa que Ele está requerendo a nossa participação para concretizar o que Ele está mostrando. Em contrapartida, se não entendermos as instruções, não encontraremos o tesouro.

Há perigos iminentes quando não entendemos ou não seguimos as instruções que Deus está dando em um sonho. Quando negligenciamos as instruções, até mesmo por falta de compreensão ou por preguiça de perscrutar, corremos sérios perigos.

Deus sela instruções no sonho

Nos sonhos Deus sela a sua instrução, ou seja, aquilo fica gravado. Hoje temos a internet e as redes sociais que nos ajudam a manter as memórias daquilo que sonhamos e vivemos. Histórias e momentos particulares muitas vezes são postadas... E essas memórias também são uma maneira de Deus selar a sua instrução, por isso acredito que a internet faz parte do plano de Deus.

Interpretações de sonhos

Sonho 1:

"Meu esposo e eu somos pastores em uma pequena igreja. No meu sonho, estávamos indo ao culto e, quando chegamos ao local, bem na frente do pátio da igreja estava tendo uma festa. Estava cheio de mesas de bar, pessoas sentadas ali dormindo, bebendo, rindo e conversando. Então falei: 'Vamos embora rápido, rápido, antes que eles nos vejam', mas não tinha como, eu percebia que alguém vinha atrás de nós. Então nós íamos até a casa de uma irmã da igreja, que mora na mesma rua da igreja; ela já estava com o portão aberto. Nós entramos na garagem dela e meu esposo descia do carro e entrava na casa correndo. Eu ia atender o homem armado, falava com ele e dizia: 'Nós não queremos o mal, queremos a paz, não queremos nada de errado'. Aí ele falava: 'Vocês não querem?'. Eu falava: 'Não, nós não queremos o mal de ninguém'. Daí ele foi embora e eu acordei."

Interpretação 1:

Esse sonho está relacionado a alguma acusação contra vocês, pessoas usadas pelo diabo para atacá-los, de forma injusta. É o inimigo usando a vida dessas pessoas, por isso é preciso ter um cuidado muito grande se vocês estiverem lidando com pessoas depressivas ou com pessoas mundanas, insistindo na mudança delas, pois isso pode ser prejudicial a vocês. O melhor é fazer como estava inscrito no sonho, irem até a casa de uma irmã e ali recorrerem a socorro.

Preste atenção: há certas coisas que nós temos que fazer de modo diferente, e esse sonho está mostrando exatamente isso, para que você e seu marido não caiam em laço do diabo. Muitas vezes, o diabo está preparando uma armadilha e esse sonho mostra justamente isso.

Sonho 2:

"Eu estava num shopping, numa área comercial, e apareceu um homem todo de preto, com arma na mão. Ele disse 'Passa as chaves', e eu perguntei 'Que chaves?'. Ele ficou repetindo 'Passa as chaves'. Eu entreguei o meu celular, mas ele pedia 'Não, eu quero as chaves', e eu falei 'Mas eu não tenho chave'. E ele repetia: 'Passa as chaves'. Nesse momento, eu coloquei a mão no meu bolso esquerdo e realmente tinha um molho de chave nele. Quando eu peguei as chaves, fiquei surpresa e questionei no sonho: 'Meu Deus de onde vieram essas chaves? Eu não tenho carro, eu não tenho casa, de onde vieram essas chaves?'. Assim que eu ia entregar as chaves para o ladrão, acordei."

Interpretação 2:

Esse sonho está relacionado a ideias, projetos e propostas que você não está usando, é por isso que as chaves estavam no bolso esquerdo e não no bolso direito. Um detalhe: essas chaves estão com você, mas você não as está usando.

Possivelmente, Deus te deu um talento, colocou coisas na sua vida, mas você não está usando o que recebeu Dele. É por isso que não está conquistando certas coisas na sua vida, porque você não utiliza o potencial, o talento nem outras coisas que Deus te deu. Talvez isso ocorra por medo seu, por negligência sua ou por você ignorar o que Deus colocou na sua vida, mas tudo isso também são promessas de Deus. O ladrão que apareceu no sonho significa que você está sendo roubado em anos, nas chaves que abrirão as portas para aquilo que Deus deu, para que não entre por essas portas; porque sempre que há uma chave, há uma porta. É preciso haver um destravar.

CAMADAS DOS SONHOS E SUAS ESFERAS

As camadas dos sonhos e suas esferas significam que há sonhos com partes de fácil compreensão e outras partes que só se abrem com o tempo. Além disso, alguns detalhes só são descortinados por quem é autorizado por Deus.

A Bíblia diz, no livro de Daniel, que existiam muitos sábios na Babilônia, no entanto apenas Daniel conseguia decifrar e interpretar determinados sonhos, isso porque ele era um profeta. Ou seja, por ser profeta, ele conseguia entender os códigos de Deus e as imagens que que eram revelados. Mesmo assim, o próprio Daniel não conseguiu interpretar algumas coisas; quando isso acontecia, ele orava e jejuava até Deus trazer a plena interpretação daquilo que havia mostrado.

Essa é uma grande chave: há muitos sonhos e visões que precisamos orar, jejuar e buscar persistentemente para obtermos a interpretação.

Revelações de Deus a profetas

"E disse: ouvi agora as minhas palavras; se entre vós houver profeta, eu, o Senhor, em visão a ele me farei conhecer, ou em sonhos falarei com ele."

(Números, 12:6)

Há coisas que Deus só revela a profetas e outras que até mesmo um leigo pode entender. No episódio em que dois soldados conversavam e um interpretou o que o outro sonhou, ambos eram leigos e Gideão entendeu que Deus estava com eles (Juízes, 7).

Deus também pode se revelar ao coração de uma pessoa que não O conhece porque Ele é soberano. Entretanto, a maioria dos sonhos requer que conheçamos a Deus e tenhamos uma instrução Dele para adentrarmos naquilo que Ele tem preparado para nós.

Fonte da revelação

Em princípio, entendo que o Espírito Santo é a fonte da Revelação, é através Dele que desvendamos o desconhecido, o novo, aquilo que é da parte de Deus para as nossas vidas. É muito difícil alguém compreender as visões e revelações ou até mesmo sonhos, sem conhecer a Deus. É por isso que faraó precisou de José para interpretar, assim como Nabucodonosor precisou de Daniel, e não para por aí. Quando as interpretações são necessárias, é preciso uma visão espiritual para obtê-las.

Sonhos – parábolas do reino

Jesus falava muito em parábolas. Podemos verificar isso especialmente no Evangelho segundo Lucas, na Bíblia. Jesus costumava trazer verdades usando ilustrações, figuras, coisas que o povo não estava ambientado ou acostumado a ouvir. Ele explicava o significado das parábolas para os discípulos em particular, porque o povo não estava preparado para conhecer grande parte das coisas que eram ditas. Assim, os sonhos são parábolas espirituais do Reino que só compreende quem realmente tem o Espírito de Deus sobre a sua vida.

Apesar de muitos poderem compreender um sonho de maneira geral e obterem uma informação dele por aquilo que mais sobressalta, os sonhos estão carregados de mensagens de Deus bem mais profundas do que a maioria das pessoas compreende. A revelação aumenta à medida que vamos buscando em Deus o entendimento daquilo.

No Evangelho segundo João, 10:4, é dito que "as ovelhas seguem o pastor porque conhecem a sua voz". Se as ovelhas conhecem a voz do seu pastor, se queremos entender o que Deus está falando, temos que decifrar a voz Jesus, a voz do Espírito Santo, a voz de Deus dentro dos sonhos.

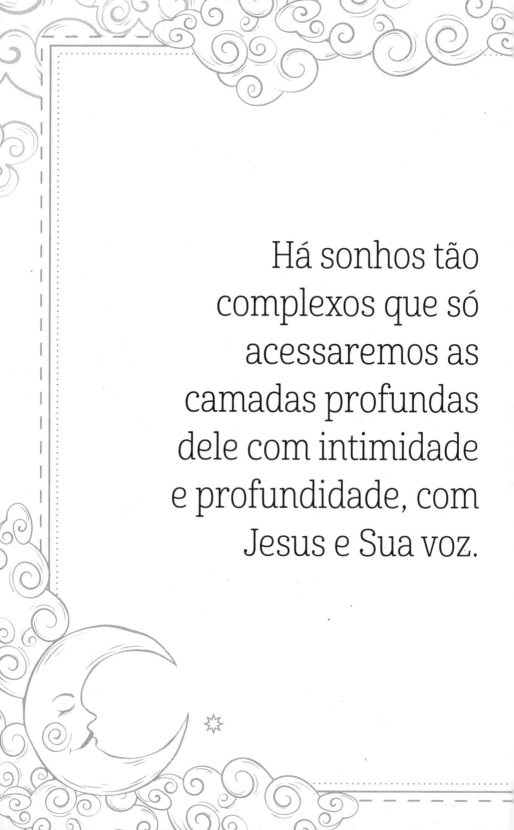

Há sonhos tão complexos que só acessaremos as camadas profundas dele com intimidade e profundidade, com Jesus e Sua voz.

Um sonho pode ter tanto uma revelação do que alguém está vivendo, quanto algo que ainda vai aparecer no caminho dessa pessoa. Isto é, um sonho tem muita informação e por isso é preciso lhe dar toda a atenção, colocar o foco naquele sonho.

Os profetas escutam a Deus em diversas esferas, não apenas por meio da impressão do espírito. Também compreendem os sinais, conseguem ver as coisas de uma maneira diferente do que as outras pessoas. Os profetas conseguem ver além da margem, além daquilo que está sendo visto, além daquilo que aparentemente é bom.

Há sonhos que parecem bons, mas que, se adentrarmos um pouco mais neles, veremos que não são. Isso pode ser ilustrado pelos sonhos com cachorros. Alguém pode pensar que sonhar com cachorro é de natureza dócil e tranquila, pois se trata de um animal doméstico, um *pet*. Todavia, não se trata de um sonho bom, porque representa resistência, bloqueio no mundo espiritual e até mesmo Satanás.

Um único sonho
pode carregar
tanto informações
do presente quanto
do futuro, conter
livramentos e
promessas
de Deus.

Unção do sonhador

Quando Deus quer falar conosco em sonhos, entramos debaixo de algo que se chama a unção do sonhador. A ciência fala sobre o estado delta, quando a pessoa entra em um estado de descanso da mente, um sono profundo que acontece entre a terceira e a quarta parte do sono. No entanto, há pessoas que entram muito rápido nesse descanso, podemos dizer assim, e aí elas sonham.

A unção do sonhador vem quando Deus quer dar uma promessa para uma pessoa, quando Ele quer comunicar algo ou intervir na vida de alguém. A Bíblia diz que a unção anestésica, que traz o sono, veio sobre Adão para Deus retirar a costela dele e formar Eva.

> Em sonos profundos, existe uma unção profética que é liberada. Quando um sonho é profético, ocorre uma anestesia do espírito. Isso significa entrar no estado muito profundo de sono. É um mergulho profundo no inconsciente.

Certa feita eu estava em casa, sentado, joguei a minha cabeça para trás e acabei dormindo. Naquele exato momento sonhei, e o sonho foi tão profundo que parece que passei horas dentro dele. Quando acordei, havia passado menos de vinte minutos, mas para mim foi uma jornada, como se eu estivesse acordando de uma aventura. Além disso, esse sonho estava repleto de instruções de Deus para minha vida.

Sonhos com escadas

"E sonhou: e eis uma escada posta na terra, cujo topo tocava nos céus; e eis que os anjos de Deus subiam e desciam por ela;"

(Gênesis, 28:12)

Preste atenção na expressão "uma escada posta na terra, cujo topo tocava nos céus". A escada em um sonho pode estar relacionada tanto a uma promoção quanto a perdas profissionais, retrocessos que vão acontecer na vida de uma pessoa. Na citação, é dito que Jacó sonhou com essa escada que tocava na terra e no Céu, ou seja, era uma conexão do alto com o baixo. É dito ainda que "*anjos de Deus subiam e desciam por essa escada*".

Nesse sonho, havia comunicação do Reino de Deus com a terra. O que Deus estava mostrando ali é que o espiritual e a terra estão sempre em movimento. E eu entendo que, pelo fato de Jacó conseguir mirar os céus, Deus revelou a ele o que tinha para a sua vida, não como retrocesso, mas como promoção.

Os melhores sonhos

"E eis que o Senhor estava em cima dela, e disse: eu sou o Senhor Deus de Abraão teu pai, e o Deus de Isaque; esta terra, em que estás deitado, darei a ti e à tua descendência."

(Gênesis, 28:13)

O sonho de Jacó, relatado nesse texto, é um tipo de sonho que é também uma visão. Isso porque Deus só mostrou a Jacó aquilo que queria mostrar, ou seja, Jacó ficou totalmente focado. Esses são os melhores sonhos, em que se fica focado dentro deles. São os sonhos conduzidos pelo Espírito; eles são diferentes dos sonhos de revelação, nos quais geralmente vemos muitas coisas, mas não conseguimos focar em nada específico. Aqui Jacó focou em Deus, que estava no alto: "E eis que o Senhor estava em cima dela".

Sonhos focados

"Uma coisa me foi trazida em segredo; e os meus ouvidos perceberam um sussurro dela."

(Jó, 4:12)

Esse texto fala de enfoque – *"os meus ouvidos perceberam um sussurro dela"* –, ou seja, era um segredo, mas Jó ouviu até mesmo os mínimos detalhes daquele sussurro, daquele plano que estava sendo revelado a ele. É preciso dar muita atenção aos sonhos que focam em determinadas coisas. Isto é, quando se esquece de grande parte do sonho, mas algumas coisas ficam na memória. Isso ocorre quando algumas imagens deixam uma marca, porque o espírito ficou focado naquilo.

Podemos ler em Salmos, 46:10: "Aquietai-vos e sabeis que eu sou Deus, serei exaltado entre os gentios, serei exaltado sobre a Terra". O que Deus estava dizendo é: "Silêncio!".

Em sonhos que recebemos uma comunicação de Deus, uma promessa de Deus, precisamos estar totalmente focados, concentrados. Esse tipo de sonho dificilmente esquecemos, já que, se há coisas que gravamos, são coisas que nos focamos.

Enfim, precisamos entender que o foco é fundamental nos sonhos, porque ele não foi algo que chamou a atenção apenas das suas vistas naturais, mas sim dos seus olhos espirituais.

Legendas de Deus

Certa feita tive um sonho em que vi um sapo olhando para mim do meio da água. O interessante é que era um cenário bonito, mas não foquei no cenário, e sim naquele sapo. Fiquei olhando para ele e entendi que Deus estava querendo comunicar algo, havia uma legenda naquele sapo.

Aprendi que tudo fala aqui neste mundo, tudo tem legenda. Sonhos, visões, imagens têm legendas. O que Deus fala conosco tem uma legenda implícita. A Bíblia diz também que, quando estamos em espírito, estamos focados e não entendemos mal as coisas; compreendemos perfeitamente tudo que está acontecendo. O grande problema é quando estamos distraídos ou muito cansados.

Expert em ouvir a voz de Deus

*"Vede, pois, como ouvis; porque a qualquer que tiver lhe será dado,
e a qualquer que não tiver até o que parece ter lhe será tirado."*

(Lucas, 8:18)

Jesus está dizendo aqui: torne-se um *expert* em ouvir a voz de Deus. Precisamos aprender a ouvir. Muitos ouvem mal porque seus ouvidos não estão treinados. Então, em vez de ouvirem nitidamente, ouvem apenas barulho, tudo porque não conseguem se focar no espiritual.

Uma pessoa perde o foco espiritual quando o coração dela está distraído, às vezes por mágoas, por ressentimentos, por preocupações e ansiedades. Por isso, o ideal é orarmos a Deus antes de dormirmos, lermos um salmo e procurarmos descansar. Temos que colocar tudo nas mãos de Deus, para termos tranquilidade de espírito e dormirmos bem.

Em outras palavras: precisamos ter um espírito focado para compreendermos as coisas de Deus.

Os sinalizadores de Deus

Um sonho encerra muitas informações, mas para interpretá-lo não temos que considerar todo ele, mas identificar qual é o som do Espírito. Quando um sonho é colocado diante de nós, ele tem partes em que sons graves e agudos vão bater mais forte,

Sonhos

como arranjos musicais. Então, quando vejo um sonho eu não o analiso todo, mas procuro captar aquilo que o meu espírito foca.

Muitas vezes, enquanto estou lendo o comentário da pessoa que pede oração ou uma interpretação, algo como uma nota musical grave acende no meu espírito. Em muitos sonhos vou observando as notas musicais que estão sendo tocadas pelo Espírito, os sinalizadores de Deus que estão sendo ativados no meu coração.

Há sonhos que nos preocupam porque algumas coisas nos perturbaram; estes são os sinalizadores de Deus, é aquilo que precisamos interpretar. Portanto, a interpretação de um sonho não é o todo, mas as notas que batem mais forte, que o espírito testifica que é Deus falando.

Vou dar um exemplo. Lembremos do sonho do faraó: eram sete vacas gordas e sete vacas magras. Em nenhum momento falou-se das características particulares de cada vaca, apenas foram descritas como vacas gordas e magras. José entendeu que tais vacas subiram do Nilo e ficaram na margem, apenas isso. Certamente o faraó viu mais coisas, mas na interpretação do sonho foram considerados apenas os sinalizadores de Deus.

Nos sonhos do copeiro e do padeiro, ocorre a mesma coisa. Na Bíblia, é dito que o padeiro viu que havia muitos tipos de pão, que estes estavam em um cesto acima da cabeça dele e que os pássaros vinham e comiam dos pães. Não se destaca que tipo de pássaros eram nem a sua cor, porque na verdade o sinalizador de Deus naquele sonho era "pássaro comendo o pão", nada do restante impressionou.

Outro aspecto importante é que geralmente os sonhos são em preto e branco. Então, quando há a presença de uma determinada cor, há uma informação ali, um sinalizador. Ver uma cobra na cozinha também é um sinalizador, pois cozinha não é lugar de cobra e isso chama a atenção. O que nos cativa em um sonho, e onde o nosso espírito está focado naquele momento, é ouvir o som como de teclas (Dó, Ré, Mi…), vamos ouvir o código de Deus para aquele sonho.

Precisamos ter ouvidos treinados e rápidos para compreender.

Para interpretarmos
sonhos com facilidade,
precisamos aprender
a ouvir a Deus e
desenvolver o foco
com a ajuda Dele.

Discernindo os ambientes

> "E, pela manhã: hoje haverá tempestade, porque o Céu está
> de um vermelho sombrio. Hipócritas, sabeis discernir a
> face do céu, e não conheceis os sinais dos tempos?"
>
> (Mateus, 16:3)

Jesus falou muito sobre os ambientes. No versículo acima, Ele estava querendo dizer que as pessoas têm dificuldade em discernir as estações, bem como discernir o espírito nos ambientes.

Quando Deus me dá uma visão ligada a algo que estou orando, ou a uma pessoa que está pedindo uma direção, dificilmente erro, porque tenho compreendido os ambientes espirituais e sei quando uma coisa está propícia para prosperar ou não. Geralmente, quando um lugar não está para prosperar, é um ambiente de pouca luz, onde, mesmo que tenha muitas lâmpadas, sente-se uma escuridão pairando no ar.

Um tempo atrás, entreguei uma revelação sobre um país da Europa, e o que falei aconteceu quinze dias depois. Tudo porque aprendi a discernir ambientes.

Interpretações de sonhos

Sonho 1:

"No sonho, era como se eu estivesse no alto de um monte e de lá viesse descendo um exército. Dava para ver que o Sol estava nascendo atrás desse monte. Esse exército levava uma bandeira com as cores vermelha, amarela e branca e havia ainda um Sol nessa bandeira. O exército estava vestido com armaduras de estilo mais antigo. Ele vinha descendo e tocando xofares e outros tipos de instrumento. Quando chegavam embaixo, todos do exército se juntavam e ficaram em posição de marcha."

Interpretação 1:

Esse é um sonho bom. Você falou da cor amarela, que geralmente representa pobreza, aflição, dificuldades, problemas. Além disso, tem um exército preparado para a batalha. Não podemos esquecer que havia o símbolo do Sol, tanto na bandeira quanto nascendo atrás dos montes. As cores vermelha e amarela aqui, já representam outra coisa, representam a justiça de Deus. O detalhe é que você estava no alto do monte, e depois desceu e lá embaixo viu o exército se preparando para a batalha, o que significa uma ordem de Deus de restituição na sua vida. É Deus fazendo justiça em seu favor por coisas que foram roubadas ou tiradas de você.

O ensino aqui é sobre a necessidade de prestarmos atenção nos detalhes, porque o que pensamos muitas vezes ser algo ruim é algo bom e, às vezes, o que pensamos ser bom não é tão bom assim. Por isso, precisamos da mente do Espírito e de sempre orar para Ele ampliar o nosso entendimento e nossa capacidade de interpretar.

Sonho 2:

"Eu tive um sonho muito real. Estávamos na casa da minha avó, em Governador Valadares, e meu filho estava na sacada da casa. Ele viu uma pedra gigante que ia bater na Terra e acabar com o planeta. Então ele entrou em casa e começou a sorrir, feliz, me abraçando, porque a gente ia morrer junto. Meu filho não se assustava com a pedra, ele entendia que era Jesus. E eu só pedia perdão pelos meus pecados e o abraçava esperando o impacto dessa pedra. Passou uns dois meses e meu professor de teologia teve o mesmo sonho, sem saber que eu tinha sonhado."

Interpretação 2:

O significado desse sonho é uma notícia ruim. Aí você pode me questionar, pois pensava que Jesus estava voltando, estavam felizes, todo mundo emocionado, mas afirmo que isso representa uma notícia ruim. Deu paz e alegria porque Deus quer dar livramento. Então, possivelmente, vai haver mudanças do lado de fora. Pode ser uma troca no trabalho ou algo regional que vai acontecer. Devem orar para que as coisas de fora, seja do trabalho, seja da cidade, não os afetem. Orem para Deus dar livramento para aquilo que está em torno e tenham cautela com os compromissos longos de ordem financeira ou até mesmo de realização de projetos à longo prazo. Façam compromissos curtos que possam cumprir. Prudência.

SIMBOLISMOS DOS SONHOS

Nos sonhos de revelação, bem como nos proféticos, sempre haverá símbolos. Dentre eles, podemos citar a águia, o cachorro, o leão... e determinados números.

Por exemplo, dei direção para um homem que estava vendo o número 727. Isso tem um significado profético, porque o 7 indica tempo perfeito, significa tempo de capacitação divina, tempo de alguém conseguir destravar. A repetição no sonho é importante, em especial dos números, porque eles podem representar anos, semanas e dias.

Elementos que sobressaltam nos sonhos são revelações. Então precisamos observar se chove no sonho, se o tempo está nublado, se o céu está azul, se a grama está bem verde, se há vento...

A maioria dos sonhos não tem cor. Isso denota que a pessoa está desorientada. Grande parte dos sonhos acontece à noite, no ambiente de penumbra, de pouca luz, porque a pessoa está sem direção ou existe algo que ela desconhece.

O espírito da pessoa, nesse contexto, está comunicando à alma que ela precisa de orientação, precisa ver melhor as coisas que estão ao seu redor. O cenário é muito importante em um sonho.

Símbolos presentes em muitos sonhos

Água limpa: diz respeito ao ambiente, mas também pode falar sobre vida, pois um ser humano pode ficar vários dias sem comer, mas não passa de alguns sem tomar água, já que esta é fundamental para a nossa sobrevivência.

Água suja: significa que algo está asfixiando emocionalmente, algo está matando a pessoa, como se fosse um peso sobre ela. Por isso, quando a água aparece no sonho, ela deve ser interpretada corretamente.

Andar descalço: 2 Samuel, 15:30, diz que Davi deixou Jerusalém descalço, correndo de uma conspiração contra ele. Sonhar descalço representa falta de preparo. Em Efésios, 6:15, fala-se das sandálias do Evangelho, que significa prontidão no Evangelho da Paz, ou seja, precisamos estar calçados, preparados para suportar as guerras, as aflições da vida. Também simboliza coisas que ocorrem muito rápido na vida de uma pessoa, de forma inesperada, de um momento para o outro, viradas muito bruscas nos acontecimentos. Aconselho a uma pessoa que sonha que está descalça a procurar sapatos, ou seja, revestir-se de Deus, calçar a palavra Dele, frequentar ambientes proféticos para que ela não tenha problemas na vida.

Sapatos novos: indicam caminhos novos que vão se abrir.

Sapatos velhos: indicam coisas que já não pertencem a você e para as quais não se deve voltar, sejam relacionamentos ou caminhos.

Muitos pares de calçado: significa que a pessoa vai andar por muitos caminhos, ir a muitos lugares, conhecer muitas pessoas.

Areia da praia, pés na areia: em Gênesis, 22:17, é dito que Deus promete a Abraão que a sua semente seria como a areia da praia, ou seja, que iria se multiplicar. Assim, areia pode significar o tempo de multiplicação, mas dependendo do sonho pode representar fragilidade, porque Jesus disse que a nossa fé não pode ser desobediente, caso contrário, será como uma casa construída sobre a areia. Então, por um lado a areia pode representar multiplicação, mas por outro pode representar fragilidade. Para saber o sentido correto, é preciso verificar os elementos, se são agressivos ou pacíficos. Por exemplo: sonho que estou na areia, mas vi que está levantando um vento; isso pode ser algo tentando impedir a minha multiplicação ou tentando impedir que eu me firme no lugar, que eu crie raízes. (Lembrando sempre que as interpretações mudam de acordo com o cenário).

Árvore: Gênesis, 3:2, diz que Eva falou com a serpente sobre as árvores do jardim, sobre o fruto de uma árvore em relação ao fruto de outras. Árvores representam negócios, vida financeira, empreendimentos e propósitos. Elas também fazem alusão ao sucesso e às dificuldades econômicas, porque elas dão frutos. Note que em Salmos, 1:3, está escrito: "Bem-aventurado o varão que não anda segundo o conselho dos ímpios, antes o seu prazer está na lei do Senhor, e na lei do Senhor medita de dia e de noite. É como a árvore plantada junto a corrente de águas e que na estação própria dá o seu fruto".

Correntes de água que cruzam na árvore: negócios que fluem, árvores produzindo na estação certa. Jesus amaldiçoa a figueira porque não tinha fruto. Ele o faz mesmo sabendo que não era a estação de dar frutos (Marcos, 11), pois Jesus estava querendo ensinar sobre o poder da palavra, mas profeticamente também estava falando que é necessário compreender as estações.

Árvore sem fruto: significa que é necessário orar e repreender, porque a árvore está com problemas, tem alguma coisa que deve ser cuidada em um empreendimento, pois uma árvore deve dar fruto.

Palmeiras: representam a justiça (Salmos, 92:12), e o cedro se refere aos justos que estão fortalecidos no Senhor, que estão na fonte do Seu poder.

Aves: nem sempre representam algo bom. Na parábola do semeador, a Bíblia diz que as aves comeram as sementes que foram plantadas junto ao caminho, por exemplo. Aves no sonho podem representar pensamentos contrários, ataques de demônios querendo arrancar a semente, querendo escandalizar a pessoa e trazer pensamentos perturbadores. Podem significar também pessoas que difamam outras.

Pássaro bicando a pele: significa dificuldades com a autoimagem.

Carros e caminhões: representam a vida profissional e a vida ministerial.

Aviões: sonhar com eles merece cuidado porque podem ser tanto vida financeira que decola, quanto vida profissional que terá uma queda muito drástica. Mais uma vez, depende do contexto.

Barcos e navios: está falando de ambientes em que a pessoa está, nos quais poderá fazer negócios, Deus vai conectá-lo a lugares e a pessoas onde ela poderá usar os talentos que Deus lhe deu; também pode representar mudanças muito grandes. São sonhos muito importantes.

Grama verde: indica prosperidade, provisão; é Deus provendo para a pessoa.

Muita grama: muito a colher ainda.

Pouca grama: indica um período de negócios fracos, em que eles não vão prosperar muito. A instrução para esse tipo de sonho é deixar aquilo por um momento de lado e focar em outra coisa; caso contrário, terá que esperar alguns meses para a roda girar de novo.

Campos lindos e vastos: representam que desconhecemos os projetos que Deus tem para nossa vida. Quanto maior for a visão do campo no sonho, maior será o alcance desses projetos.

Não ver coisas distantes no sonho: representa que não está usando o potencial e a criatividade.

Levantar os olhos nos sonhos: é muito importante ter essa atitude, porque toda a pessoa que levanta os olhos vai na contramão de um sistema e até mesmo do fluxo das coisas.

Cachorro: Golias, quando afrontou Davi, disse que era um cão (Samuel, 17:43), porque ele representava uma entidade espiritual maligna, uma legião de demônios que estava operando contra o povo de Israel. Cachorros representam perigo, resistência espiritual. É necessário observar para quem o cachorro está rosnando.

Chuva: a Bíblia fala sobre a chuva serôdia. Chuva temporã (Joel, 2:23) pode representar um tempo de favor de Deus sobre a vida financeira de alguém, sobre os empreendimentos dessa pessoa.

Chuva com raios, relâmpagos e escuridão no céu: possivelmente, indica um ambiente perigoso para fazer negócio e investir.

Correntes: representam áreas da vida em que a pessoa pode estar presa. Também pode representar pessoas próximas que se encontram presas espiritualmente, acorrentadas a vícios, a pecados sexuais.

Deserto: ao contrário do que as pessoas pensam, não indica apenas falta, provação, dificuldade, mas também representam a oportunidade para Deus prover e dar novas ideias.

Estrelas, Sol e Lua: este sonho está ligado a promessas, a pessoas que são importantes para nós e que estão ligadas a nós.

Ferimentos e lesões: estão relacionados a algo que não se vê. Pode indicar que nós ou alguém próximo a nós está debilitado, seja emocional, seja física ou espiritualmente. Contudo, mesmo que uma pessoa se veja no sonho toda ferida, nem sempre o sonho está ligado a ela, pode estar ligado a uma pessoa próxima dela, porque a nossa vida não consiste só em nós, mas em todas as pessoas que fazem parte do nosso círculo de relacionamentos. Esse sonho também pode estar ligado a problemas morais ou falhas terríveis de caráter, principalmente quando a pessoa está suja no sonho. Sonhar que está entrando em um banheiro sujo, ou em um ambiente bagunçado, também representa problemas morais e de caráter.

Frutos: os que já foram colhidos representam bênçãos de acesso muito próximo.

Frutos no pé: mostram que Deus vai dar uma visão para alguém ganhar dinheiro.

Todos os símbolos que mencionei correspondem ao básico do sonhamos. Qualquer outro elemento dentro do sonho pode trazer a continuação da mensagem ou mudar o seu significado.

Elementos combinados

Como já salientamos, em muitos sonhos, os elementos não estarão sozinhos, porque fazem parte de uma instrução do Espírito de Deus. Por isso, será necessário observar a combinação deles. Ou seja, há figuras que não representam somente uma coisa, mas estão ligadas a outra. Assim, quando uma pessoa sonha com cobra, ela não vai ver apenas o animal, mas também o lugar onde ele está.

Sabe-se de antemão que cobra, geralmente, representa um ataque, mas onde é o ataque? Se a *cobra está no quintal*, pode ser que o ataque ocorra a coisas próximas a nós, por exemplo. Outro exemplo é: se a *cobra estava enrolada sobre a cama*, é ataque à vida sentimental. Vejamos outras combinações:

Cobra verde: pode indicar ataques espirituais nos negócios, nas finanças da empresa, nos empreendimentos.

Cobra na cozinha: quer dizer que o diabo está tentando atrapalhar a vida de uma pessoa.

Cobra no telhado: pode ser que o diabo quer bloquear a relação com pessoas que consideramos e honramos.

Flores: podem estar ligadas a estações e merecem um cuidado especial, porque geralmente estão conectadas há outro elemento no sonho. Isto é, devemos nos perguntar: estação do quê? Momento de quê?

Fogo, lugar pegando fogo: é necessário orar imediatamente contra aquilo que podem estar falando de você, pessoas que estão querendo destruir sua reputação, seu crédito, sua moral diante de uma comunidade. Fogo também representa um grande descuido ou uma grande prova pela qual alguém vai passar. O fogo sempre estará relacionado com um ambiente e pode estar ligado também a pessoas. Por isso, o fogo também é uma informação que precisa de imagens complementares para completar a interpretação daquilo que Deus está falando.

Gafanhotos: quando uma pessoa sonha com gafanhotos pode haver perdas que não estão sendo calculadas, gastos que não estão na planilha. Também, pode representar perdas de dinheiro em um negócio. Sonhos com gafanhotos são muito perigosos.

Lesma: é um bicho nojento e suscita cuidado para que pessoas com a vida torta e errada não se aproximem de você.

Joias e pérolas: presentes que nós vamos ganhar; podem estar relacionadas a dons e estar sinalizando presentes de Deus como oportunidades; podem indicar boas notícias.

Lâmpada: lemos em Salmos, 119:105, que: "Lâmpada para os meus pés é a tua palavra e luz para o meu caminho". Então, simboliza lugar de clareza, de revelação, de coisas que vão se abrir; sinaliza que um ambiente fechado se abrirá. É Deus trazendo luz para a vida da pessoa, abrindo as coisas ao redor. Representa que alguém está em um período bom para realizar projetos, planos e conquistas.

Mãos: mão direita e mão esquerda nunca aparecem sozinhas no sonho, também estarão ligadas a outra coisa. Por isso as pessoas sonham que estão sendo mordidas e a mão está machucada por alguma coisa ou algum animal, porque tudo isso são informações que completarão a interpretação.

Mão direita: está ligada ao trabalho e ao favor, a coisas que vão dar certo, a habilidades de Deus e talentos que a pessoa possui.

Mão esquerda: pode representar algo com que não devemos nos meter, porque não conhecemos a dimensão daquilo. Portanto, não temos habilidade para dar continuidade a esse novo projeto no qual estamos entrando. Simboliza que estamos em um campo minado, em apuros, e mostra que devemos correr de algo que já está começado, pois sopra tombo financeiro.

Mar: há vários tipos de sonho com mar. O mar pode estar relacionado a ambientes que vamos conhecer, a um lugar propício para prosperar e onde devemos entrar; oportunidades grandes que não devemos perder. Geralmente, sonhar com mar é algo bom e nos mostra que devemos ir ao encontro de algo. O detalhe é que na maioria das vezes está relacionado com outros temas, como peixes e aves.

Com esse apanhado dos símbolos mais recorrentes nos sonhos e suas eventuais combinações, vemos que, para a interpretação de um sonho, há muitos pontos a serem analisados.

Interpretações de sonhos

Sonho 1:

"Eu estava em cima de uma ponte e de repente o céu desceu e caiu um objeto de lá. Quando eu peguei o objeto, vi que era uma luva. Coloquei-a na minha mão e, quando eu virei a mão na minha direção, vi que era o rosto de um leão."

Interpretação 1:

É Deus colocando ousadia em você ou em alguém da sua família para começar um negócio. E um detalhe importante: por se tratar de uma luva, está relacionado a algum tipo de trabalho manual. Deve haver ousadia e coragem para começar. Você estava em uma ponte porque isso vai mudar a sua história e a das pessoas ao seu redor, se compreenderem o que Deus está falando.

Sonho 2:

"O sonho mais impressionante que tive, do qual lembro com detalhes, foi há 22 anos. Nele, eu estava em um parquinho infantil e segurava uma criança nas minhas costas, como se fosse aqueles cangurus de mãe, só que a criança estava presa nas minhas costas. Eu passava por todos os obstáculos do parquinho: gangorra, balanços... e depois eu nadava com essa criança numa água bem barrenta, o que perdurou muito tempo. Depois disso, a gente chegava a um barranco e eu falava: 'Nós vencemos'. Esse foi um sonho muito duradouro, de uma noite inteira."

Interpretação 2:

Esse sonho é significativo, porque essa criança representa um projeto que você tem, é um sonho de infância, é algo que sempre quis. No entanto, você nunca conseguiu levar isso a sério, depois entrou nessa água barrenta. O que significa que muitas pessoas falaram coisas para você e isso fez mudar muito os seus pensamentos e projetos (experiências negativas). No final do sonho, você venceu, o que significa que ainda há tempo de realizar alguns projetos que carrega há muito tempo na sua vida. Não é tarde.

A nossa vida é como um rio.

Tentar fazer algo que não é da vontade de Deus é como remar contra a correnteza.

SONHOS COM O FUTURO

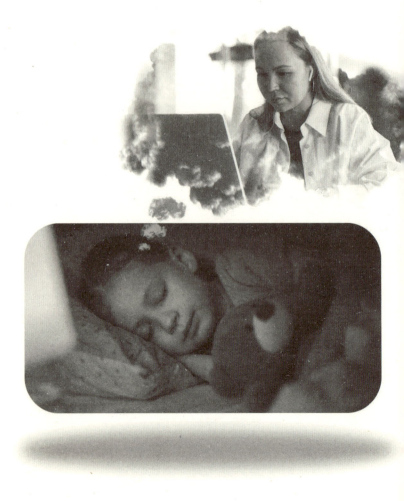

> "Tu, ó rei, és rei de reis; a quem o Deus do céu tem dado o reino, o poder, a força, e a glória. E onde quer que habitem os filhos de homens, na tua mão entregou os animais do campo, e as aves do céu, e fez que reinasse sobre todos eles; tu és a cabeça de ouro."
>
> (Daniel, 2:37–38 – ACF)

O Evangelho de Daniel, neste fragmento, revela a Nabucodonosor que aquele sonho representava que ele era *a cabeça*. Vale destacar que o sonho de Nabucodonosor foi com uma grande estátua, composta por ouro, prata, bronze, ferro e pés misturados com ferro e barro; cada um desses elementos representava uma época e um governo.

A Bíblia diz que chegaria o tempo em que esses governos cairiam por uma ação de Deus, como de fato, historicamente, ocorreu. Essa foi uma revelação de Dele que Nabucodonosor teve do seu presente e do seu futuro.

Deus revelou o futuro e não restrito à sua vida, mas também a seu filho e seu neto, às pessoas que iriam sucedê-lo no reino. Nabucodonosor não viu o cumprimento desse sonho, mas se alegrou porque teve a revelação. Acredito que nós também podemos sonhar com coisas que não vamos viver, mas que nossos filhos e nossos netos viverão.

Mistérios revelados

> "Mas também eu julgarei a nação, à qual ela tem de servir, e depois sairá com grande riqueza. E tu irás a teus pais em paz; em boa velhice serás sepultado."
>
> (Gênesis, 15:14–15)

1 – A primeira revelação

Como já falamos, Abraão teve a revelação de quatrocentos anos de escravidão da sua semente, dos seus filhos que seriam gerados através de Isaque, formando uma verdadeira nação.

2 – A segunda revelação

No entanto, Deus revelou mais: quando eles saíssem do Egito, Ele julgaria aquele império, e foi o que aconteceu. Quando o povo saiu do Egito, estava rico, poderoso, porque Deus deu a instrução para eles pedirem ouro, joias, presentes para o povo egípcio. Assim, quando Ele trouxe a morte dos primogênitos e o povo saiu do Egito, foi com grande riqueza. Isso foi uma transferência de riquezas do Egito para o povo de Deus.

3 – A terceira revelação

Outra revelação que Deus deu a Abraão, através dos sonhos, foi de que ele não morreria jovem, mas sim de velhice: "E tu irás a teus pais em paz; em boa velhice serás sepultado". O que Deus estava dizendo é que Abraão não morreria em uma guerra, nem de doença, mas de boa velhice.

Assim, vemos que Ele pode falar sobre o futuro da nossa família no sonho, falar de quão próspero nós nos tornaremos e pode falar sobre o nosso destino e até mesmo como morreremos. Isso é um grande mistério.

Sonhos antes de partir

Myles Munroe, um dos homens mais inteligentes da atualidade, um grande pensador, já falecido, teve um sonho. Neste sonho via um homem numa corrida de 4 x 100 de revezamento, daquelas que se deve pegar o bastão do outro competidor e seguir a corrida. Ele viu um desses corredores caído no chão, com o bastão levantado. Ele disse que esse sonho o impactou muito e que o levou à seguinte conclusão: todo sonho e toda visão que um homem tem em relação ao seu propósito representa que ele deve deixar um legado, que o propósito de Deus precisa de continuidade para que seja concluído.

Contudo, na verdade, o que Deus estava mostrando é que ele era aquele homem caído, não por causa do pecado, mas porque talvez o tempo dele estivesse terminando. E que ele precisava entender que o seu legado iria continuar através de outro (que iria pegar aquele bastão e continuar), mesmo que ele caísse ou que Deus o levasse.

Munroe costumava dizer, em suas pregações, que a sua organização não dependia mais dele porque se ele morresse seu filho e sua filha assumiriam, pois ele os estava preparando para o futuro. Um dia Munroe entra em seu avião com sua esposa e sua filha e aquele avião tem um acidente, no qual morre ele e a sua mulher, mas sua filha sobrevive. Hoje, essa filha e seu outro filho dão continuidade ao Ministério Munroe, ao legado, editando livros e ministrações.

Entendo, com esse exemplo, que é de suma importância compreendermos o que Deus está querendo falar para nós. Você pode me perguntar se Deus estava o avisando da morte. Eu acho que sim. Aí você pode perguntar novamente: "Será que tinha como evitar?". Eu também acho que sim.

Sonhos que livram da morte

"Para desviar a sua alma da cova, e a sua vida de passar pela espada."
(Jó, 33:18)

Entenda que os sonhos podem livrar você da morte. Eu acredito que uma pessoa, antes de morrer, em especial quando morrerá prematuramente, recebe alguns sinais. O Pastor Luiz Antônio, um grande missionário na África e muito conhecido, teve um sonho onde viu muitos corpos carbonizados. Ele viu várias coisas relativas à morte, a pessoas acidentadas... mal sabia ele que morreria naquele voo alguns meses depois. Eu acredito que muitas vezes Deus revela o sonho para termos cuidado, porque há mortes que não deveriam acontecer.

Sonhos com cachoeiras

Amigos de uma cantora que morreu há pouco tempo postaram, nas redes sociais, os sonhos que ela estava tendo, e eu os achei muito interessantes. Os sonhos dela estavam relacionados a acidentes, a água corrente, a cachoeira. Quase um ano após esses sonhos, coisas que ela sonhara acabaram acontecendo na vida dela, de forma muito trágica.

Vemos assim, que sonhos relacionados a acidentes, água corrente e cachoeiras não são bons, pois denotam que a pessoa está indo para um caminho sem volta. É interessante frisar que cachoeira está falando de queda d'água, mas não uma queda normal de chuva e sim uma queda abrupta, de forma forçada, em queda livre. Assim, estes elementos podem ser avisos de que a pessoa vai morrer ou que está trilhando um caminho de uma perda total.

Além desses casos, muitas pessoas tiveram sonhos antes de partir, como se Deus as estivesse avisando. Todavia, como vimos nos exemplos, acredito que há sonhos que Deus nos dá que podem nos desviar de algo que está preparado contra nós.

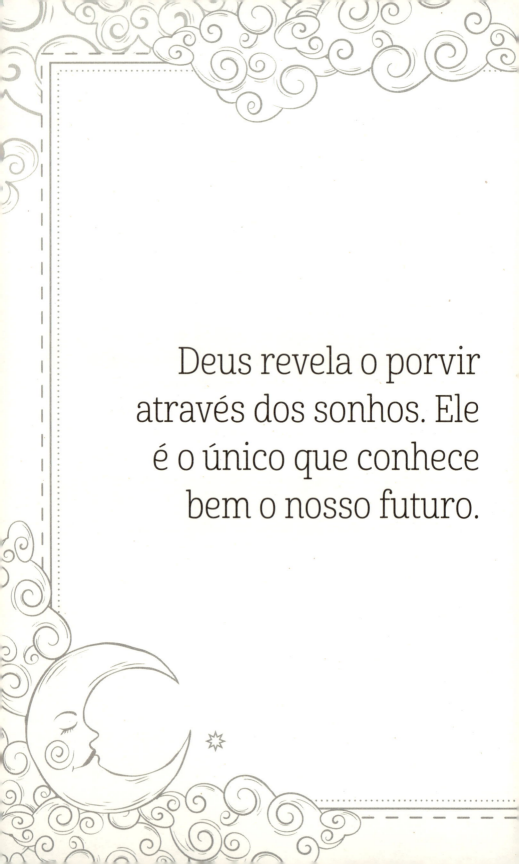

Deus revela o porvir através dos sonhos. Ele é o único que conhece bem o nosso futuro.

O sono profundo e a escuridão

"Abaixou os céus, e desceu, e a escuridão estava debaixo de seus pés. E montou num querubim, e voou; sim, voou sobre as asas do vento. Fez das trevas o seu lugar oculto; o pavilhão que o cercava era a escuridão das águas e as nuvens dos céus."

(Salmos, 18:9–11)

Toda vez que Deus quer revelar o futuro, a Bíblia diz que Ele faz com que o homem tenha um sono realmente profundo. É como se a pessoa se desligasse completamente de tudo que está ao seu redor e não ouvisse nada. Tanto o sono profundo quanto a escuridão no sonho podem revelar o futuro, um enigma, um mistério que desconhecemos. É por isso que grande parte dos sonhos estão em preto e branco. A escuridão e a noite no sonho, significam que a vida da pessoa está muito envolta em mistérios que precisa conhecer. A escuridão às vezes é falta de direção, mas também está falando de uma ignorância quanto ao futuro, quanto às coisas que estão ao redor e que ainda serão vividas.

Deus revela o futuro aos Seus amigos e a pessoas influentes

"E disse o Senhor: ocultarei eu a Abraão o que faço, visto que Abraão certamente virá a ser uma grande e poderosa nação, e nele serão benditas todas as nações da terra?"
(Gênesis, 18:17–18)

Amigos de Deus são presenteados com o futuro, é por isso que precisamos ser amigos Dele. Jesus disse: "Vós serei meus amigos se fizerdes o que Eu vos mando" (João, 15:14).

Deus revela o futuro a homens que são Seus amigos e a homens que exercem um grande poder, principalmente de influência. Por isso, faraó, Nabucodonosor, Abimeleque sonharam; assim como José, pai de Jesus, sonhou. Logo, homens que exercem uma grande influência tem revelações do futuro.

Existem, portanto, alguns benefícios em ser amigo de Deus e em ser alguém que exerce influência nos círculos sociais que frequenta. Deus vai revelar o futuro a essas pessoas, independentemente de sua religião.

A questão é: por que Deus revela o futuro para pessoas que têm influência, que são muito importantes? Porque pessoas que têm influência podem ser grandes ferramentas nas mãos de Deus. É como se Ele desse uma chance a elas de mudarem o seu futuro ao entenderem que Deus está falando com elas, isso é muito importante.

Sonhos de mero conhecimento e zero instrução

"E disse-lhe o Senhor: esta é a terra que jurei a Abraão, Isaque, e Jacó, dizendo: à tua descendência a darei; eu te faço vê-la com os teus olhos, porém lá não passarás."
(Deuteronômio, 34:4)

Esta narrativa fala do fato, mas não traz instrução alguma. Isso porque não há o que fazer. Não adianta clamar, orar, jejuar porque é uma palavra definitiva. Deus determinou que Moisés não entraria na Terra Prometida. Davi orou para que o seu primeiro filho com Bate-Seba não morresse. Orou, jejuou, pediu a Deus, rogou aos céus, fez o que podia e nada resolveu. Deus usou o profeta para falar: "Vai morrer!"

Há visões, sonhos e palavras que são para mero conhecimento, não trazem em si instrução alguma e é triste quando chega nesse ponto. Geralmente sonhos sem instrução estão ligados à desobediência.

Moisés não pôde entrar na Terra Prometida porque desobedeceu, Davi não teve a vida do filho porque desobedeceu. Isto é, pessoas que vivem na desobediência terão o conhecimento do que vai acontecer, mas não vão poder fazer nada a respeito disso; isso é muito sério.

De Deus são as interpretações

"E eles lhe disseram: tivemos um sonho, e ninguém há que o interprete. E José disse-lhes: não são de Deus as interpretações? Contai-mo, peço-vos."
(Gênesis, 40:8)

Aqueles dois homens, o padeiro e o copeiro, de quem já falei, queriam saber o futuro e ambos o obtiveram através de uma interpretação. Um foi para a morte e o outro foi restituído.

Sonhos falam de restituição, mas também falam de morte.

Sonho sobre o destino de grandes impérios

O sonho:

"Tu, ó rei, estavas vendo, e eis aqui uma grande estátua; esta estátua, que era imensa, cujo esplendor era excelente, e estava em pé diante de ti; e a sua aparência era terrível. A cabeça daquela estátua era de ouro fino; o seu peito e os seus braços de prata; o seu ventre e as suas coxas de cobre; As pernas de ferro; os seus pés em parte de ferro e em parte de barro. Estavas vendo isto, quando uma pedra foi cortada" (Daniel, 2:31–34a – ACF).

A interpretação:

"Mas, nos dias desses reis, o Deus do céu levantará um reino que não será jamais destruído; e este reino não passará a outro povo; esmiuçará e consumirá todos esses reinos, mas ele mesmo subsistirá para sempre. Da maneira que viste que do monte foi cortada uma pedra, sem auxílio de mãos, e ela esmiuçou o ferro, o bronze, o barro, a prata e o ouro; o grande Deus fez saber ao rei o que há de ser depois disto. Certo é o sonho, e fiel a sua interpretação." (Daniel, 2:44–45 – ACF)

Os fragmentos acima apresentam, em primeiro lugar, o sonho de Nabucodonosor e em seguida a interpretação de Daniel. Fala, ainda, das partes da estátua, dos elementos que a constituem e da sua simbologia.

A cabeça de ouro, nessa visão, representava o Império Babilônico de Nabucodonosor, de 626 a 539 a.C., que com toda majestade governava sobre as nações, conforme Deus havia permitido.

O tórax e os braços de ferro representavam o Império Medo-persa, comandado por Ciro, que subjugava a Babilônia durante o reinado de Belsazar.

Os ventres, os quadris de bronze, representavam o Império Grego que conquistou o Império Persa. Alexandre o Grande, o conquistador, fez parte dessa profecia, e a visão de Nabucodonosor teve seu cumprimento anos mais tarde. O Império Grego se expandiu rapidamente, até se fragmentar após a morte de Alexandre, quando a cultura grega ganhou muita força. Não obstante, Deus falou, através desse sonho, que isso também não prevaleceria.

As pernas de ferro e os pés de ferro e barro representava o Império Romano em 63 a.C. O fato de ser simbolizado por pernas de ferro e depois por pés feitos de uma mistura de ferro e barro apontam para duas fases do Império Romano. Isto é, o começo sólido, que depois, devido a conflitos, conspirações e muitas traições, veio a ruir e teve grande queda.

Então, aparece a pedra, que representa um reino que nunca será destruído e este é o Reino de Deus. Este Reino foi profetizado também por outros profetas, como Isaías, Joel e Amós. Todos eles, na mesma linha, falavam desses episódios futuros. O Novo Testamento esclarece que o Reino de Deus começou com a primeira vinda de Cristo e alcançará seu cumprimento pleno, no retorno de Jesus.

A identificação dos reinos aqui tratados fica ainda mais explícita nos capítulos 7 e 8 do livro bíblico de Daniel, os quais você pode ler para aprofundar-se nessa profecia e no seu cumprimento.

Vinicius Iracet

VOCÊ JÁ SONHOU COM ÁGUA SUJA?

APONTE A CÂMERA
PARA O QR CODE

Interpretações de sonhos

Sonho 1:

"Em setembro de 2017, sonhei que estava em uma colina muito íngreme, bem no alto, e ali Jesus me dava um abraço. Eu não vi o rosto dele, somente as vestes brancas. Ele era bem mais alto do que eu e a gente caminhava até a ponta dessa colina. Aí ele estendia a mão e mostrava o que estava à frente. Na hora eu olhei, eram muitas montanhas lindas com vegetação verde escura e ele falava algo para mim, mas eu não me recordo das palavras. Somente sei que foi algo de Deus para mim."

Interpretação 1:

Isso está relacionado com um futuro que você vai viver, de grande estabilidade, de coisas que vão se acalmar, de cada coisa ir para o seu lugar, porque você está construindo isso em Deus. Hoje isso pode parecer distante, mas na verdade é uma promessa para toda a sua família e pode estar relacionado a salvação dos seus, a algo que está instável e que amanhã vai estar bem firme, bem estabelecido, porque é algo de Deus que está acontecendo que Ele está prometendo. Você estava nesse lugar, então Deus está contigo. Eu creio que é uma palavra profética para sua vida. Muito bonito esse sonho.

Sonho 2:

"Eu olhava para o céu e nele havia muitas estrelas bonitas. Eu estava no meio de uma vila de chão batido, com casas bem simples, havia corredores estreitos e eu passava pelo meio dessas casas. Eu peguei à direita e saí no quintal onde havia uma mulher falando com as pessoas e impondo as mãos sobre elas. Ela veio na minha direção e falou que havia luzes nos meus dedos. Ela segurou no meu pulso e nisso eu fechei as mãos e ela tentava colocar nas minhas mãos saquinhos de panos costurados de vários tons de azul. Nisso eu falei para ela que era unção que tinha nas minhas mãos. Saí daquele quintal falando que nenhum mal ia me tocar, em nome de Jesus e na autoridade do Espírito Santo. Então vi uma churrasqueira grande com uma grelha bem grande, com vários demônios mortos e queimados em cima e eu pegava uma bandeja com água e jogava para limpar o lugar."

Interpretação 2:

Esse sonho está relacionado a uma obra de feitiçaria que fizeram ou estão fazendo contra a sua vida, relacionada à vida sentimental, por isso a cor azul. Como pegou uma rua à direita significa que está no caminho certo, mas tem muita oposição e há pessoas que o inimigo está usando para tentar atingir sua vida sentimental. O bom do sonho é que no final você venceu, usando a autoridade espiritual. Esse sonho também é para você ter o entendimento de que alguns problemas recorrentes, talvez na vida sentimental, na parte de relacionamentos, estão muito ligados a combates espirituais que está sofrendo, tudo porque há pessoas que querem de alguma forma prejudicá-la e tirá-la do caminho de alguém.

PESADELOS E SONHOS IMPUROS

Sonhos perturbadores são fruto de um espírito demoníaco chamado lilim ou espírito noturno. A função e o objetivo desses espíritos é não deixar as pessoas dormirem.

É impressionante o número de pessoas que têm insônia, que têm perturbações noturnas, que acordam várias vezes ou sentem uma inquietação para dormir. Outros só dormem com a luz acesa, por medo e insegurança. Isso são ataques espirituais à vida da pessoa.

Sonhos aterrorizantes

"Penso: 'Na cama encontrarei descanso, e o leito me aliviará o sofrimento',
mas tu me assustas com sonhos e me aterrorizas com visões."
(Jó, 7:13–14 – NVT)

O texto acima denota que nem todo o pesadelo provém do Maligno. Há pesadelos que quem abre a porta somos nós mesmos, a ponto de termos visões que aterrorizam, como lemos na citação.

Algumas vezes uma pessoa terá sonhos considerados vis ou violentos. Quando se sonha com briga ou executando coisas terríveis, como matar alguém ou machucar uma pessoa, saiba que Deus está querendo te livrar de algo, como por exemplo entrar em uma briga que não é sua.

Esses pesadelos aterrorizantes fazem a pessoa acordar ofegante, nervosa, com coração acelerado. Saiba que tudo isso está relacionado a coisas que ela está para viver, então deve orar para que Deus a desvie disso.

Espíritos que entram em sonhos

Há pesadelos que são demoníacos, neles a pessoa sonha que está sendo sufocada ou perseguida.

Em sonhos assim, também pode-se sonhar que está tendo relação sexual com outra pessoa que não o esposo ou a esposa. Isso ocorre quando entram no sonho alguns espíritos chamados *íncubos*, que é a versão masculina de um demônio que invade o sonho para ter relações sexuais com seres humanos. *Súcubo*, por sua vez, é a forma feminina desse espírito impuro que faz as pessoas terem sonhos ruins.

A autorização para tais espíritos agirem muitas vezes está no material pornográfico, na alimentação de pensamentos ruins e em tentações presentes na vida da pessoa. Também há espaços que podem ser abertos por meio de filmes ocultistas.

Muitas pessoas solteiras, divorciadas e até mesmo viúvas têm sonhos assim. E, como já explicitei, alguns deles não são apenas sonhos e sim demônios que vem à cama. Esses espíritos são também conhecidos como marido da noite e dama da noite.

Espíritos Malignos

"E algumas mulheres que haviam sido curadas de espíritos malignos e de enfermidades: Maria, chamada Madalena, da qual saíram sete demônios."

(Lucas, 8:2)

Há inúmeros textos bíblicos que falam de espíritos malignos. Eles são de vários tipos e são chamados de várias formas: espírito imundo, espíritos de enfermidade, espíritos enganadores. Há várias nomenclaturas para os espíritos malignos porque, de fato, há várias classes desses espíritos.

A única maneira de discernir espíritos é pelo dom de discernimento. Deus dá o dom de discernimento de espíritos para que possamos compreender as coisas espirituais. Esse dom é muito forte na minha vida e boa parte dos sonhos que interpreto e das revelações que tenho só são possíveis através de tal dom.

Imagens do pesadelo (ou sonho)

Quando as imagens do pesadelo ou do sonho ficam martelando o dia inteiro é um tipo de batalha espiritual que estamos enfrentando. É isso que acontece quando alguém sonha coisas imundas ou tem pesadelos. Aquilo fica presente na cabeça da pessoa, acusando-a. A pessoa já acorda se sentindo culpada. Quantos passam por isso frequentemente?

Quando Deus instaurou o culto a Israel, a Bíblia menciona a Tenda da Congregação, onde um cordeiro era imolado pela manhã e outro era imolado à noite. Transportado para os nossos dias, esse cordeiro representa começar o dia com oração para trabalhar e encerrar o dia com oração para estar tranquilo e descansar. Antigamente, era necessário sacrificar animais, mas pelo sacrifício de Jesus Cristo na cruz nós ficamos livres desse tipo de rudimento, desses rituais.

Climas espirituais

Devemos entender que os pesadelos vêm de alguns ambientes e podem vir do clima de um espaço; por exemplo, o seu quarto, a sua cama. A cama do casal deve ser separada para o casal. Meu conselho é não emprestar a cama para sogro, sogra, mãe, pai, porque o leito do casal deve ser imaculado. Assim, não convém emprestar o seu quarto para uma visita, por mais importante que ela seja, porque a cama representa algo espiritual. Por esse motivo, devemos também evitar adquirir cama ou colchão usado.

Particularmente, já tive muitas lutas dentro de hotéis, porque muitas pessoas cruzam por eles. Pessoas boas, mas também pessoas más, casais que estavam se traindo... Quantas coisas acontecem em hotéis, quanta nojeira pode ter ali? Por isso, quando chego em um hotel a primeira coisa que faço é consagrar a cama e o quarto a Deus, para quebrar completamente toda a maldição.

Quando há a presença de Deus na sua vida, a luz que está em você vai influenciar diretamente tudo ao seu redor. Dessa forma, se alguém no andar do hotel onde você está hospedado, ou alguém que for na sua casa, estiver perturbado pelo mal, não conseguirá dormir à noite no ambiente em que você se encontra.

Há lugares em que há muita abertura às coisas espirituais e isso pode nos perturbar. É a *oração* que nos protege da influência de coisas das trevas sobre nós e sobre o que nos rodeia.

Muitas vezes, quando começamos a orar à noite, cachorros uivam e fazem coisas impensáveis por causa de espíritos imundos que são liberados no ambiente de uma cidade. Em muitos ambientes, como festas em que acontecem sacrifícios e muita luxúria, há influência no clima espiritual de toda a região, que fica pesado e contamina a vida das pessoas que estão ali.

Influências espirituais

Quando a pessoa não consegue dormir à noite, possivelmente existe um lugar por onde o mal está entrando e perturbando o seu sono. Por exemplo, quando alguém sonha que está praticando relação sexual com uma pessoa que não é seu cônjuge, possivelmente há alguma coisa na sua vida que está abrindo um portal do inferno.

Existem muitas atitudes, sentimentos e pecados que abrem o que chamamos de brecha espiritual. Além disso, a má influência pode estar sendo canalizada por um objeto na casa da pessoa, às vezes até mesmo um presente dado por um ex-parceiro/a ou outra pessoa. Pode ser também algo espiritual que está entrando por mensagens ocultas, tanto pela televisão quanto pela música. Por exemplo, há canções que despertam a sexualidade, a imoralidade e a traição. A adoração a Jesus é a única coisa que vai romper com o ambiente negativo que foi influenciado por músicas ou por determinados programas de televisão.

É importante entender que todo o filme relacionado à bruxaria e outras formas de ocultismo vai liberar ataques na mente de quem assiste. Há uma narrativa que fala de um menino que caía no fogo e na água, endemoninhado. Quando Jesus viu o menino, perguntou ao pai dele há quanto tempo aquilo estava acontecendo com ele, e o pai respondeu que desde a infância. É interessante que o pai disse: "Senhor, me ajuda na minha incredulidade" (Marcos, 9). Isso mostra que a legalidade que atacou a criança veio pelos pais.

Às vezes, uma criança não consegue dormir à noite e vê vultos, têm visões, perturbações, acorda na madrugada ou troca o dia pela noite. Tudo isso são perturbações que estão entrando pela vida dos pais, por isso é preciso ter cuidado com filmes de terror e outras obras ligadas ao ocultismo.

O perigo da ociosidade

"Doce é o sono do trabalhador, quer coma pouco quer muito; mas a fartura do rico não o deixa dormir."

(Eclesiastes, 5:12 – ACF)

Todos sabem que quem trabalha de oito a dez horas por dia não tem tempo para ficar jogando conversa fora. As coisas mais tolas na vida das pessoas não acontecem quando elas estão "numa pior", mas quando estão na bonança.

Jesus conta no Evangelho segundo Lucas (12:13–21) a parábola do rico insensato que intentou construir grandes celeiros para armazenar comida por muitos anos e não precisar mais trabalhar, somente descansar, folgar e aproveitar a vida. Mas Deus lhe falou: "Louco, esta noite te pedirão a sua alma e o que tu tens guardado?". A Bíblia diz "louco" porque esse homem falou coisas que não devia, falou com orgulho, não quis mais depender de Deus e assim estava atraindo morte para sua vida: "Essa noite te pedirão a tua alma".

Davi, em vez de estar na guerra, estava passeando no palácio (2 Samuel, 11). Caiu em pecado porque estava sem fazer nada, distraído, na ociosidade.

Os motivos dos pesadelos

"Quanto mais você se preocupar, mais pesadelos terá;
e, quanto mais você falar, mais tolices dirá."

(Eclesiastes, 5:3 – NTLH)

Eu aprendi com esse texto de Eclesiastes – reforçado por experiências e relatos – que preocupações, estresse e palavras malditas atraem pesadelos. São essas coisas que abrem espaço no mundo espiritual para o diabo entrar.

Pessoas desocupadas geralmente são murmuradoras, negativas e atraem coisas ruins. Uma pessoa positiva, por sua vez, produz, trabalha até o último dia da vida, nem que seja numa horta no fundo do quintal. Isso faz sentido para você?

O que vou dizer não se encontra em livro algum porque é uma revelação do Espírito: pessoas que são atacadas emocionalmente nos sonhos, que estão sendo traídas, abandonadas, machucadas, falam muitas palavras negativas e estas palavras voltam contra ela, reverberam na vida dela.

Entenda, palavras reverberam no mundo espiritual; elas não vão embora com o vento. Muitos falam que as palavras são como as penas de um travesseiro jogadas do alto de um prédio, e que é impossível pegá-las de volta. Entretanto, essas são as palavras lançadas contra outros, uma vez que é impossível "remendar" o que foi dito. Mas aqui estou falando de palavras faladas no mundo espiritual contra você mesmo, como por exemplo: "Eu sou incompetente, nada dá certo para mim, a minha vida é um desastre, não funcionam as coisas para mim, a minha vida é ser pobre, minha vida é só sofrimento...". Essas palavras não são como as penas lançadas, elas reverberam sobre a pessoa que as declarou.

Imagine uma palavra que saiu de você, mas que continua presa a você. Essa palavra vai te atacar diretamente e pode, inclusive, perturbar o seu sono. Tais palavras o podem abalar tanto que o seu espírito vai comunicá-las a sua alma. Então, nem todo sonho é de influência diabólica, há sonhos que são influências diretas das palavras ditas.

Lemos em Tiago, 3:5–6, que nossas palavras são como fogo, como uma fagulha que pode incendiar uma floresta. O fato é que uma palavra pode trazer uma destruição muito grande literalmente, mas pode trazer também destruição espiritual. É por isso que tenho ensinado às pessoas a orarem antes de dormir o Salmo 91 e o Salmo 23, para assim encherem a sua vida de fé, esperança e coisas boas, e pedirem perdão a Deus por toda a palavra precipitada que saiu da sua boca, por toda palavra negativa e maldita, porque esta é como uma gangrena que está sempre machucando. É assim uma palavra que não desligamos da nossa vida, ela fica sempre machucando espiritualmente, inclusive nos sonhos.

Quando liberamos uma palavra, ela pode nos parecer somente um som qualquer, mas no mundo espiritual liberamos várias facas contra nós, várias lâminas que atacam o nosso emocional e, consequentemente, a nossa vida, de uma forma terrível.

Procure eliminar a preocupação, confiando na palavra de Deus, orando e entregando tudo nas mãos Dele, evitando falar demais, para não ser atacado enquanto dorme. Saiba que as suas palavras podem estar sabotando o seu sono, trazendo insônia, perturbação e abrindo portas espirituais, causando todo o tipo de pesadelos e sonhos impuros.

Toda pessoa que fala coisas negativas repetidamente sonha "porcarias" por noite e a absoluta maioria dos sonhos dela são negativos, agoureiros, com coisas ruins profetizadas por ela mesma, ativadas no mundo espiritual através de suas palavras tolas. Por isso, para ter um sono bom, seja prudente nas suas palavras, não fale mal de todo mundo nem de você mesmo. Libere menos coisas negativas no mundo espiritual durante o dia.

Demônios não dormem

"Eis que não tosquenejará nem dormirá o guarda de Israel."

(Salmos, 121:4)

Deus não dorme porque é Espírito, como também o nosso espírito não dorme. Da mesma forma, os demônios não dormem. Um dos horários que Deus mais usa para se comunicar com o homem é à noite, e se o homem não consegue dormir, como Deus irá falar? Muitas vezes, o diabo vê, por aquilo que está acontecendo no mundo espiritual e ao redor, que uma pessoa está sendo cercada pelo evangelho, por orações e que Deus quer falar com ela, mas o diabo não a deixa dormir. É impressionante o número de pessoas que não consegue dormir à noite. Por isso, nossa casa precisa estar coberta por Jesus, com os anjos de Deus, para que os demônios não possam agir, entrar e sair dela.

É preciso encher a casa

Na Bíblia, fala-se sobre o valente que é expulso de uma casa, mas aquele lugar fica varrido, vazio e adornado. Ou seja, em casa vazia – ou seja, sem a presença de Deus, sem louvor, sem palavra, sem vida cristã, sem frutos do espírito –, os demônios podem retornar, e efetivamente retornam.

A presença de Deus não está limitada apenas ao nosso corpo, mas ela se expande para o lugar onde estivermos, por isso precisamos nos encher da presença Dele.

Muitas vezes,
os pesadelos vêm por
sujeira e bagunça no
lugar. Por isso a nossa
casa tem que estar
sempre limpa, louça
lavada, quarto limpo, itens
organizados. A bagunça
e a desordem atraem
espíritos malignos.

A adoração expulsa o mal

"E sucedia que, quando o espírito mau da parte de Deus vinha sobre
Saul, Davi tomava a harpa, e a tocava com a sua mão; então Saul
sentia alívio, e se achava melhor, e o espírito mau se retirava dele."

(1 Samuel 16:23)

Quando o espírito maligno se apoderou do rei Saul, Davi tocou
a harpa o e espírito saiu do rei. Isso porque a adoração – até mesmo aquela adoração íntima de joelhos dobrados antes de dormir,
agradecendo a Deus pelo dia, bendizendo a Ele – expulsa o mal,
muda o ambiente, muda o clima e faz termos um sono tranquilo.

Para uma cidade ter paz

"Quando os justos governam, alegra-se o povo; mas
quando o ímpio domina, o povo geme."

(Provérbios, 29:2)

Há espíritos que reinam sobre cidades, sobre lugares. Há cidades que estão debaixo de uma influência espiritual tão forte que
o clima pesa. Por isso, onde houver pessoas de Deus influenciando a moral e a lei de uma cidade ali haverá paz e tranquilidade.

Como acabar com pesadelos e sonhos impuros?

Há imagens e sons que não saem da nossa cabeça, porque nossos olhos e/ou ouvidos foram violados.

- Tome posse do direito de descanso conforme o versículo: "Em paz também me deitarei e dormirei, porque só tu, Senhor, me fazes habitar em segurança." (Salmos, 4:8)
- A única maneira de limpar a alma é por meio da palavra de Deus, do arrependimento, da confissão de pecados, pois pequenos vícios podem atrair espíritos imundos.
- É necessário também estabelecer uma atmosfera no quarto. Não brigue no quarto, o espaço deve ter um clima de paz e tranquilidade.
- Abra a Bíblia no Salmo 91, faça uma oração, coloque um louvor, adore a Deus.
- Purifique a sua mente com o Espírito Santo para que Deus venha transformá-la, lavá-la pela água (Efésios, 5: 26).
- Elimine o que mais atrai pesadelos e a imoralidade.

Pessoas que se envolvem em alto nível de prostituição e imoralidade têm muitos pesadelos. É isto que mais atrai sonhos ruins: a imoralidade. Se alguém tem algum problema com a imoralidade e quer se ver livre dos pesadelos ruins, deve eliminar isso da sua vida.

Basta você abrir o seu coração, e Deus certamente vai operar para libertá-lo.

Interpretações de sonhos

Sonho 1 – Três sonhos com animais:

1. "Eu e meu marido sonhamos na mesma semana com animais. Meu marido sonhou que havia um crocodilo no nosso quintal e ele que estava com medo do crocodilo."
2. "No outro dia eu sonhei que uma amiga de infância veio me visitar e trouxe um gato, e o bichano subia em cima da minha cabeça. Eu tirava o gato e o gato subia de novo, tirava o gato e o gato subia novamente. Eu fiquei chateada, joguei o bichano no chão e fechei a porta."
3. "Eu sonhei que nós, eu e o meu bebê, fomos visitar uma prima nossa e ela nos colocou em um quarto onde havia um bode no teto, aí o bode estava para cair e eu me desviei com meu bebê e o bode caiu em cima da cabeça do meu marido."

Interpretação 1:

Vamos falar primeiramente do sonho com crocodilo. Ele representa que alguém não os quer na sua área. Pode ser uma pessoa muito egoísta que não quer vocês por perto, alguém que está dificultando o acesso de vocês em algum lugar. Tem que repreender o mal em pessoas que estão dificultando as coisas para vocês.

O sonho com gato na sua cabeça enquanto você conversa com uma pessoa significa, possivelmente, que há gente que têm inveja do seu relacionamento e da sua felicidade, pessoas que gostariam de estar no seu lugar.

O terceiro sonho, do bode caindo em cima da cabeça do seu marido, não é bom, mas está relacionado a algo que passou na vida de vocês e que pode estar atormentando um dos dois; talvez seja alguma lembrança do passado ou uma culpa, uma lembrança que um de vocês carrega de algo que viveu e que ainda dói e machuca. Então, de tempos em tempos, isso vem à memória.

Sonho 2:

"No meu sonho, eu estava em uma outra cidade onde dois membros da minha igreja moravam. Eu havia ido visitá-los. Eles pediram para eu tirar uma foto deles dois e eu me colocava em frente à janela. Ao tirar a foto, eu consegui enxergar a cidade, e nisso eu perguntava qual era a diferença do fuso horário dali e do restante do Brasil. Eles respondiam "cinco horas"; nisso eu era arrebatado pelo mapa múndi e conseguia ver a bota da Itália. Eu via os nomes das cidades, mas não consegui interpretá-los. Até que consegui identificar que um dos nomes era Budapeste e eu fui pesquisar sobre ele. Achei, perto da Itália, o país Hungria e a capital Budapeste. Entrei nas fotos e realmente o que vi no sonho era uma foto daquela cidade, e realmente o fuso horário dali até o Brasil são cinco horas."

Interpretação 2:

É um chamado de Deus, projeto missionário na sua vida. Você tem um chamado para levar a palavra para muitas pessoas. Você pode até fazer outras coisas na vida, mas Deus tem também essa missão para você. É algo muito bonito esse sonho que você teve.

Não podemos ignorar que Deus se comunica por meio de sonhos e que, na maioria das vezes, Ele fala para nos guardar, nos livrar de uma cilada que o mal está preparando em nosso caminho.

Nesta parte do livro darei algumas interpretações de sonhos, formando um pequeno dicionário. Alguns dos simbolismos que apresentarei aqui já foram citados do capítulo que trata dos *Simbolismos nos sonhos*. Todavia, neste pequeno dicionário, faço um apanhado dos símbolos mais recorrentes nos sonhos e suas interpretações.

É preciso alertar, porém, que os sonhos mudam de acordo com os elementos que estão contidos neles e a combinação desses elementos. Tenho dito e reitero que cada sonho tem a sua interpretação. Estes carregam códigos proféticos, símbolos, que precisam ser interpretados com a ajuda de Deus.

Então, se cada sonho tem uma interpretação, quando Deus lhe dá um sonho profético ou de revelação, você deve, em primeira instância, orar a Deus pedindo discernimento e interpretação. Se você não conseguir chegar a ela, busque os profetas. Sobretudo, busque investigar o sonho, pois é perigoso basear-se somente em noções gerais, ao menos que o sonho gire em torno de um único elemento, sem combinações que possam alterá-lo.

O meu desejo é auxiliá-lo para que, com a ajuda de Deus, você mesmo interprete os seus sonhos. Esta é a minha maior missão: ensinar a ouvir e compreender os sinais de Deus, em especial nos sonhos. Vou fornecer aqui, portanto, uma interpretação geral de cada elemento, sempre lembrando que por alguns detalhes o sonho muda totalmente.

1. Sonhar com gatos:

Tem muitas interpretações e costuma ser um sonho de revelação. Podemos dizer que sonhar com gatos representa inveja; pode representar uma feitiçaria ou alguém que não está tão apegado a você como você pensa. Sonhos com gatos não são bons.

2. Sonhar com frutas:

Sonhar com abacate – pode indicar prosperidade, vitória, milagres de Deus. Está relacionado a finanças, a negócios e a promoções.

Sonhar com frutos verdes – pode ser que ainda não tenha chegado o tempo de colher; está na árvore e pode até contemplá-lo, mas ainda não está pronto para colheita. Pode indicar coisas na sua vida que não estão no tempo de Deus para chegar, mas indica que está no caminho certo para ter acesso à colheita.

Sonhar com frutas caídas no chão – Se estiverem boas, indica colheita; no entanto, também pode significar que está havendo alguma perda e é preciso mais organização nos negócios.

3. Sonhar com árvores:

Pode representar um empreendimento, um negócio ou a empresa em que você trabalha. Árvores geralmente estão conectadas à vida empresarial de uma pessoa, estão ligadas a negócios, mas há também outros significados. Por exemplo, o fato de elas darem frutos faz alusão ao sucesso; mas pode indicar dificuldades econômicas se for uma árvore sem fruto ou sem folhas. No último caso, pode ser uma empresa, negócios ou finanças com problemas. Uma árvore com frutos verdes é um tempo de preparação para colheitas. A pessoa está, na verdade, em crescimento na vida profissional, nos negócios, na carreira.

A árvore pode representar também uma família inteira, porque a Bíblia fala sobre a figueira como representando a nação de Israel (Oseias, 9:10).

Portanto, ao sonhar ou ter visões com árvores, é importante observar se a árvore em questão tem frutos e folhas, se o tronco dela é forte, porque tudo isso são representações do estágio em que está a sua carreira, seu negócio ou até mesmo aquilo que Deus quer fazer nos seus negócios.

Sonhar com árvore sem fruto – pode significar uma empresa que precisa de ajustes, mais conexões, mais clientes… enfim, que está precisando de algo.

Sonhar com uma árvore bonita, vistosa, preponderante, com folhas verdes – significa que o negócio é bom e só precisa de um tempo maior para começar a prosperar e para as coisas começarem a funcionar.

4. Sonhar com um zumbi ou com morto-vivo:

Pode representar que há pessoas próximas que te "puxam para baixo". São pessoas que espiritualmente estão tentando arrastá-la para algo fora da direção de Deus, estão tentando contaminá-la para tirá-la de um projeto de Dele.

5. Sonhar com bruxa:

Alguns desses sonhos são a própria bruxa dentro do sonho, isto é, às vezes não é sonho e sim algo bem materializado. Também pode representar objetos de ocultismo que a pessoa tem dentro da sua casa ou de uma literatura mística através dos quais entram espíritos de bruxaria. A bruxaria só entra em uma casa com a permissão da pessoa. Ela não pode entrar sem uma porta aberta. Esta porta pode ser um presente que não foi consagrado a Deus, pode ser uma literatura, um filme ou um objeto que está ligado a alguma prática maligna.

6. Sonhar com alguém cortando a cabeça ou tirando partes do corpo de uma pessoa:

Pode indicar que alguém na família tem um pacto espiritual com as trevas e que esse pacto dá legalidade para espíritos de morte e depressão agirem na família. Muitas vezes diz respeito a objetos e roupas ligadas a esses pactos.

7. Sonhar com um tiroteio:

Pode representar pessoas falando mal, criticando, difamando, inventando histórias a respeito de alguém.

Sonhar com alguém atirando no peito à queima-roupa – coisas que estão prejudicando alguém. Deus as revela para que a pessoa comece a orar para que isso cesse ou para que Ele mostre quem é a pessoa, de modo que não haja mais prejuízo.

8. Sonhar com xícara:

Pode estar relacionado a um tempo que a pessoa vai viver, um tempo bom e de comunhão, de boas amizades, de bons relacionamentos, de boas risadas. Está relacionado a amizades.

9. Sonhar com roupa:

Sonhar com roupa velha – podem ser injustiças que foram marcadas, às vezes por erro da pessoa e outras vezes sem motivo algum.

Sonhar com roupa nova – pode indicar justiça de Deus, algo justo que está para acontecer ou que já está acontecendo; ou seja, Deus já tomou conta daquela situação.

Sonhar com guarda-roupa – pode significar situações não resolvidas. A partir do momento que forem apresentadas a Deus essas coisas do passado, vão começar a se transformar em justiça, ou seja, Deus fazendo justiça pela pessoa que sonhou.

10. Sonhar com pessoas desconhecidas:

São conexões novas que Deus dá para sua vida, pessoas que vão cruzar com você e vão lhe abençoar.

Sonhar com alguém desconhecido que está lhe fazendo mal – pode ser alguém que você não conhece e que pòr algum motivo não gosta de você. Essa pessoa pode estar ligada a alguém próximo que quer lhe atacar e tirar a sua boa fama, te denegrir e manchar sua imagem e sua reputação.

11. Sonhar com rato:

Sonhar com rato morto – pode ser que você tenha parado de perder coisas, ou seja, você estava sendo atacado sem perceber, estava perdendo e agora parou de perder. É como se algo tivesse sido estancado de sua vida.

Sonhar com rato vivo – são perdas iminentes; perdas que podem acontecer a qualquer momento ou que já estão acontecendo.

12. Sonhar com prateleiras vazias:

Pode ser uma crise que a pessoa viverá no futuro.

13. Sonhar com multidões:

Pode representar grandes planos que Deus tem na sua vida para o futuro, é algo muito bom.

14. Sonhar com cabelo:

Sonhar com cabelo comprido, bonito, saudável – pode indicar que Deus está lhe dando muita força, muita vitalidade, está alegrando os seus dias.

Sonhar com perda de cabelo – pode representar depressão, ansiedade, nervosismo, perda de ânimo. Pode indicar que a rotina na sua vida está se tornando perigosa, são coisas ruins.

15. Sonhar com mulher grávida e bebê:

Podem ser projetos que Deus quer realizar na sua vida.

Sonhar que já vai dar à luz a um bebê – é algo que já está para acontecer.

Sonhar que alguém lhe deu um bebê – é algo que não estava nos seus projetos, mas que é da vontade de Deus trazer para sua vida.

16. Sonhar com cachorro:

Pode indicar alguma resistência contra a sua vida. Sonhar com cachorro dificilmente significa coisas boas. No entanto, já vi sonhos desses positivos. Por isso repito que as interpretações aqui são gerais e que há combinações de símbolos que mudam completamente o sonho.

17. Sonhar com bichos nojentos:

Pode indicar que há uma pessoa próxima que está encobrindo algo; pode representar que alguém não é quem diz ser, alguém fingido.

18. Sonhar com mofo:

São situações na vida que estão paradas, que estão sem muito movimento ou que estão regredindo. Mofo simboliza regredir.

19. Sonhar que está expulsando demônios:

Pode demonstrar que a pessoa está enfrentando uma batalha espiritual. Se a voz não sair nesse sonho, significa que Satanás está tentando intimidar a pessoa de alguma forma. Isso é batalha.

20. Sonhar com vassoura:

Pode representar mais de uma coisa. Depende do cenário, pode ser Deus mexendo nos seus relacionamentos. É sempre necessário redobrar atenção com esse tipo de sonho, porque está indicando algo que Deus quer lhe mostrar.

21. Sonhar com geladeira cheia:

Pode representar providência. Além disso, é ter o que repartir. São muitas coisas que Deus vai entregar, mas que não é para manter centralizado em você.

22. Sonhar com casa:

Sonhar com casa velha – está ligado à maldição, há coisas do passado que ainda atrapalham a vida da pessoa.

Sonhar com casa nova – pode representar mudanças que vão acontecer na vida da pessoa. Podem ser mudanças gradativas, ou até mesmo sobre algo que Deus está fazendo e que vão trazer boas coisas para ela no futuro.

23. Sonhar com uma mulher velha e desarrumada ou uma pessoa suja:

Pode representar também maldição na vida da pessoa, além de feitiçaria.

24. Sonhar que está cozinhando para a família:

Significa um tempo alegre; significa um tempo quando a família estará mais unida, mais próxima.

25. Sonhar com sapato:

Sonhar com sapato novo – é um caminho novo que Deus vai dar, como se fosse uma direção nova que está para ser revelada, uma ideia, uma inspiração.

26. Sonhar com cavalo:

Sonhar com cavalo é uma força incomum que Deus está dando para vencer e romper com situações. Por exemplo, alguém sonhou comigo, minha esposa e um profeta amigo nosso: nós três estávamos segurando, pelas rédeas, cavalos muito bravos, fortes, praticamente selvagens. Aquele sonho representava que Deus havia nos dado um ministério muito poderoso e que iria nos dar força, nesse tempo, para administrarmos as coisas; que utilizaríamos da força do Senhor para poder romper diante da crise, e realmente Deus tem cuidado de nós e nos honrado de muitas formas em todos os tempos.

Portanto, sonhar com cavalo representa uma força a mais que Deus dará durante um período para superar situações de dificuldade.

Sonhos

Sonhar com cavalo cujo rosto está transfigurado – pode significar que existe uma ação maligna contra você para atacar as suas forças, para lhe atacar no seu ânimo, para trazer depressão.

Sonhar cavalo selvagem – mesmo que esteja bravo, se a pessoa está em cima dele ou está querendo pegar as rédeas dele, pode ser a força de Deus no tempo que está vivendo. Ou seja, quando você sonhar com cavalo, não é para jogar no bicho; é uma força que Deus quer dar em um tempo de crise.

Sonhar que está correndo de cavalo – é algo bom porque representa que no percurso da vida Deus vai dar força.

Sonhar que está montado em um cavalo e cavalgando livremente – pode representar o tempo na sua vida, o tempo de ânimo para realizar e conquistar muitas coisas.

Sonhar com muitos cavalos ao redor da sua casa – pode ser Deus fortalecendo a família, se o rosto do animal não estiver transfigurado.

Sonhar com cavalos brigando – podem ser situações de desgaste.

Sonhar coisas esquisitas com cavalo – pode estar relacionado à vida emocional da pessoa, que está prejudicando os seus relacionamentos.

27. Sonhar com cobras:

Muitas pessoas sonham com cobras. Por que Deus fala tanto desses animais? Porque a cobra é símbolo de algo que se está vencendo espiritualmente ou de algo com que se está lutando naquele momento. A cobra representa o diabo e os demônios, por isso sonhar com esse animal pode indicar, quase sempre, um ataque espiritual.

Sonhar com cobra grande – pode representar que existe um ataque espiritual contra a vida da pessoa, maior do que ela está imaginando.

Sonhar com cobra no quarto – pode indicar ataque contra o relacionamento, contra a família, contra a vida sentimental.

Sonhar com cobra em cima da cama – pode ser inveja contra o relacionamento, alguém tentando desfazer a relação de marido e mulher; ataques contra a vida sexual do casal, ataques contra a vida sentimental.

Sonhar com cobras no quintal – pode indicar ataque próximo.

Sonhar com cobra na cozinha – pode ser que o mal está tentando entrar por meio de pessoas que fazem parte da sua comunhão, na sua vida.

Sonhar com cobra no rio, na piscina, na água – pode indicar um ambiente onde existe uma pessoa muito traiçoeira, enganadora e que não é confiável. Pode revelar uma amizade falsa, um caminho que vai trazer problemas, enganos. A Bíblia diz que a serpente enganou Eva. Pode indicar negócios que podem dar errado, um negócio em que a pessoa será lesada.

Sonhar com cobra entrando na garganta – podem representar doenças contra a pessoa.

Sonhar com pessoa matando cobra – pode representar a vitória dela sobre o mal.

Sonhar que está colocando cobras na boca – podem ser palavras que as pessoas estão colocando na sua boca, dizendo que você falou algo que não falou. Ou seja, gente querendo fazer confusão.

Sonhar com cobra que parece amigável – pode indicar uma falsa amizade, mas não deixa de ser cobra. Aparenta ser boa na sua frente, mas é falsa.

Sonhar que está vomitando cobras – pode indicar algo que já está prejudicando a pessoa, que no mundo espiritual já foi colocado dentro dela e que, mesmo que vomite, está trazendo problemas ao emocional dela.

Sonhar com cobra de várias cores – também tem um significado espiritual; pode representar ataques em coisas íntimas, do coração.

Sonhar com cobra verde – pode estar ligada a ataques no trabalho, alguém querendo prejudicar os negócios da família, atrapalhar a sua vida financeira.

28. Sonhar com peixe:

As pessoas pensam que todos os sonhos relacionados a peixes são bons; na verdade, a maioria o são. No entanto, como nós temos dito, e não posso cansar de dizer: as interpretações pertencem a Deus e algumas delas com peixes mostram perigo.

Sonhar que está pegando um peixe grande ou muitos peixes – pode representar prosperidade na vida da pessoa. Por isso, empresários que querem empreender e começar um negócio e então sonham com muitos peixes, podem estar recebendo de Deus uma mensagem de prosperidade. Sonhar com muitos peixes também pode simbolizar produtividade, por isso muitos pastores, evangelistas e mulheres de intercessão sonham com peixes. Nesse caso, não está relacionado a uma prosperidade no sentido financeiro, mas no sentido de produtividade, de almas para ganhar, pessoas a alcançar, lugares para se estabelecer.

Um pastor sonhou que dentro de um açude havia muitos peixes, muitos, só que dentro daquele lago havia uma cobra gigante e o Senhor disse para ele: "Aqui tem muito peixe, mas também tem muita cobra".

Aconteceu que esse pastor estabeleceu uma igreja no lugar que Deus havia mostrado, ganhou centenas e centenas de pessoas para Cristo, mas com aquelas cobras ele teve que lutar por boa parte da sua vida. Ou seja, havia cobra no mesmo ambiente em que havia peixes, e Deus estava dizendo para ele ter cuidado.

Sonhar com poucos peixes – pode representar que você deve ter cuidado nos seus investimentos ou com o local onde vai estabelecer a sua empresa.

Sonhar com muitos peixes – é prosperidade, representa que a maré está boa e que você pode ser mais ousado naquele momento para negociar, para ir mais longe nos investimentos.

Sonhar com peixe na água barrenta – pode indicar que quem está no meio de negócio vai ter que tomar cuidado com muita gente desleal perto dela; isso pode estar relacionado a alguém querendo "puxar o tapete". Pode também estar relacionado a uma negociação que não está muito bem atada nem muito bem-feita e que ela pode ter problemas. Muitos empresários têm esse tipo de sonho.

Sonhar que está nadando com peixes – se a água é limpa, pode significar que você não irá apenas bem na sua vida profissional, mas também irá se sentir muito bem naquele tempo, ou seja, é algo relacionado também a sua vida afetiva, a sua vida emocional, então representa uma pessoa se realizando em vários sentidos.

Sonhar com peixe estragado, peixe podre – pode significar que a pessoa iria ter uma colheita, no entanto aquilo é como se fosse uma ilusão para a vida dela e não algo que irá produzir realmente, ou seja, é um negócio que possivelmente não vai dar certo; e que o diabo pode estar projetando algo para que ela perda um dinheiro que recebeu. Peixe podre não é algo bom, a pessoa tem que ser prudente, orar e pedir a Deus o discernimento de que modo pode acontecer um rombo nas suas finanças.

Sonhar que está comendo peixe, se alimentando dele – pode significar que ela vai viver um tempo de desfrute do seu trabalho.

Sonhar com peixe morto – é uma prosperidade que a pessoa perdeu, ou perdeu o tempo de fazer algo, de aceitar uma oportunidade; são finanças que não vão voltar para a vida dela.

Sonhar segurando o peixe – mostra a pessoa que guarda, uma pessoa sábia na condução do dinheiro; pode ser algo bom que ela receberá, uma promoção, uma herança.

29. Sonhar com água:

Água representa ambiente; pode ser o ambiente de uma grande ação de Deus, em que está fazendo um grande trabalho na vida daquela pessoa. Nesse caso, a água é clara, é límpida, sonhos que a pessoa consegue ver os pés. Sonhos assim representam que

Deus está dirigindo os passos dela, guiando-a, dando sabedoria nas direções.

Sonhar com cobra na água – podem ser tentações no ambiente em que ela está, ataques do diabo. Existe algum setor da vida dela que está sendo atacado.

Sonhar com água suja – pode significar três coisas bem perigosas: inveja, mentira e falsidade. Se a água suja estiver correndo, representa também que Deus está tirando essas pessoas da sua vida; se ela está sendo arrastada por aquela água suja ou está nadando nela, está sendo influenciada não só por pessoas, mas influenciada por lugares.

Sonhar com vazamentos e água pingando do teto – pode indicar uma pessoa próxima de você que parece ser de um jeito, mas que, ao mesmo tempo, não é tudo aquilo que prega, é hipócrita.

30. Sonhar que está andando descalço ou de sandálias:

Sonhar com um par de sandálias – pode representar um outro caminho.

Sonhar que está andando descalço – pode representar que a pessoa está andando em um plano original de Deus. Sonhar que está vendo os próprios pés também pode representar um plano original de Deus.

Sonhar só com os pés descalços sem ver o solo – a pessoa está no plano original de Deus; se ela estiver no meio da água limpa enxergando os pés, significa que Deus está abençoando o caminho dela, que está sendo purificada por Ele. Deus está fazendo um grande trabalho na vida dela, é algo realmente incrível.

31. Sonhar com areia:

Representa promessa de Deus. A Bíblia nos diz em Gênesis, 22:17, que Deus promete a Abraão que sua semente seria como a areia da praia. Areia representa muitas promessas de Deus.

Sonhar com areia molhada – pode significar que Deus está realizando promessas, está capacitando você para ir ao encontro das promessas que Ele mesmo fez.

Sonhar com pedra na areia – pode significar que você tem que elevar seu nível de maturidade e de compromisso com Deus.

Uma mulher sonhou que andava descalça pela areia e via três lanternas pretas caídas sobre ela, depois começava a correr na areia acompanhando o mar. Era fim de tarde.

Esse é um exemplo de sonho profético porque representa tesouros escondidos, representa bênçãos ocultas e coisas lucrativas que vão ser verdadeiros achados; está relacionado a boas ideias que Deus vai dar.

32. Sonhar com aves:

Sonhar com aves andando juntas no céu – significa que existem pessoas próximas que irão romper com você. Podem ser pessoas da sua equipe, seus filhos...

Sonhar com aves muito próximas da cabeça – pode ser ataques na mente, pensamentos perturbados.

Sonhar com aves pretas – podem representar coisas malignas, principalmente as aves de rapina, que são identificadas por serem mais violentas.

33. Sonhar com balança:

Em Jó, 31:6, fala-se sobre ser pesado na balança de Deus. Sonhar com balança fala sobre justiça, sobre ser justo com alguém ou que está sendo muito pesado com alguém, até mesmo injusto; a balança pode representar fome, dependendo de como é o sonho.

Sonhar com balança pesando frutos e comida – pode representar tempos de prosperidade, como pode representar, dependendo do sonho, tempos de dificuldade.

Na verdade, o sonho com balança é bem preocupante e exige atenção, de uma interpretação bem correta, porque ela pode estar anunciando algo que precisa de oração, algo que deve mudar muito rápido para poder equilibrar as coisas. É um sonho bem perigoso e que necessita da interpretação, pois Deus está mostrando que algo precisa ser acertado; pode estar falando também de um tempo de prosperidade, um tempo de abundância, em que vai sobrar muito.

É importante entendermos a balança como um plano de Deus.

34. Sonhar com touro ou com boi bravo:

Esse é um sonho bem frequente. Conheço pessoas que sonharam com isso e que anos depois tiveram problemas muito sérios. Sempre que uma pessoa sonhar com touro ou com boi bravo pode indicar um ataque feroz que está acontecendo na vida dela, ou que ainda vai acontecer no casamento e na vida sentimental.

Interpretei um sonho de um português que sonhou quando era jovem ainda, com um boi. Sonhou com túnel, uma pastagem e vários outros elementos. Era um sonho realmente muito profético, que tinha muitos códigos presentes. Ele conheceu uma mulher anos depois desse sonho, casou-se e depois acabou se separando. Tudo o que ele me contou do sonho foi o que aconteceu durante toda a vida dele. A interpretação do sonho dele era o que estava para viver anos mais tarde, com a mulher com quem ia casar e tudo que passariam juntos.

Então, existem sonhos que realmente remetem ao futuro e Deus não os revela por mera informação ou conhecimento da verdade. Quando Ele nos faz revelações desse tipo, quer livrar-

-nos de algo. Por isso, quando sonhamos com boi ou touro bravo, pode ser a representação de um plano que já está arquitetado contra a vida conjugal.

Geralmente, é uma armadilha que Satanás já tem preparada e que Deus quer nos alertar a termos prudência, oração e sabedoria. Sonhar com touro ou boi bravo também denunciam maldições de família que devem ser quebradas, desfeitas.

Um outro caso foi de uma pessoa que sonhou que havia muitos bois bravos que a cercavam. Deus me deu uma direção profética para liberar sobre a vida daquela mulher. O que estava acontecendo é que o marido dela estava preso na pornografia, e isso o levaria a trai-la. Ela veio a descobrir por que o marido não queria ter relações com ela, e quando esse laço maligno foi quebrado, cortado, automaticamente a relação deles foi restaurada; por isso que precisamos ter o discernimento das coisas.

Sonhar com centauro – representa algo místico relacionado a uma ação de demônios; é algo mais destrutivo ainda contra a vida de uma pessoa, porque é a mutação de um touro. Deus está falando de algo maligno que vem para destruir. Sonhar com isso é algo realmente ruim e deve ser rejeitado.

Touro morto – significa que um ataque se encerrou contra você ou contra seu casamento; pode também representar a quebra de uma maldição, ou seja, já foi desfeita.

35. Sonhar com perseguição ou morte:

Esse é um sonho muito recorrente e que precisa de atenção, pois a maldade, que nós muitas vezes não queremos enxergar, existe. A inveja existe. Quando se sonha com perseguição ou alguém dando tiro na pessoa é necessário prudência e oração, para que todo mal intentado seja cancelado, em nome de Jesus.

Sonhar com perseguição – é inveja, espíritos imundos que estão usando pessoas, não apenas para a invejarem, mas para tramarem o mal contra ela, para tentarem prejudicá-la. Portanto, por trás dos sonhos de perseguição está a inveja e pode estar ligado a algo contra a vida dela no tempo que está vivendo, geralmente de alguém querendo tomar aquilo que é dela, como o emprego, uma promoção e até mesmo relacionado ao casamento.

Sonhar que está levando um tiro – é algo que já está prejudicando a pessoa.

Sonhar que ouviu barulho de tiros ou acordar com o barulho de tiro (não tiro natural) – algo está tramando para lhe prejudicar no seu trabalho ou está armando para prejudicar alguém da sua casa no trabalho.

36. Sonhar que o cônjuge está traindo:

Não significa que existe uma traição, mas que há inveja contra a vida da pessoa para destruir o casamento, para quebrar o relacionamento da pessoa.

37. Sonhar com ladrão:

É diferente de sonhar com perseguição; representa que estão tentando tomar algo por inveja, algo material que foi adquirido pela pessoa. Tem que repreender, lutar espiritualmente contra isso, pois esse sonho não é nada bom.

38. Sonhar com quem já morreu:

Um sonho que traz muita dúvida é sobre sonhar com quem já morreu. Algumas pessoas acham que é bom sonhar com falecidos, mas vejamos o que a Bíblia diz sobre isso e qual é a interpretação que o Espírito Santo nos dá.

Eu creio, como em apóstolo Paulo (Filipenses, 1), que, a partir do momento que nós cristãos partimos aqui dessa vida, partimos para estar com Cristo. Acredito que a pessoa morre e já vai para um destino, para esperar o julgamento. Por isso, sonhar com pessoas falecidas não é algo bom.

Sonhar com uma pessoa falecida sem ter comunicação, apenas a vendo no sonho – pode representar um tipo de maldição que está na família, uma maldição hereditária, uma praga. Deus pode trazer à sua memória algo que foi deixado na sua casa.

Por exemplo, uma pessoa sonhou com um falecido que estava atrás de uma mesa com outras pessoas, e no sonho Deus falou a ela que existia um trabalho de feitiçaria, uma praga lançada, uma maldição em algo que foi recebido por aquela pessoa que faleceu. A interpretação é que existia algo que foi deixado e, no momento em que houve a revelação de Deus, pôde ser quebrado todo o mal.

Observação: não falo daquele sonho em que a pessoa sonha com lembranças do falecido; isso é outra coisa, é sonho da alma que pode representar saudade.

Sonhar que a pessoa falou no sonho – é espírito de engano, porque a Bíblia diz que quando uma pessoa parte desse plano, automaticamente ela é desligada completamente da sua vida, não há mais comunicação. Por isso não acredito em comunicação com os mortos. A pessoa que morreu não tem mais comunicação com os vivos. Não acredito em reencarnação e não acredito que um morto pode vir nos nossos sonhos para tentar se comunicar, pois ela perde todo o contato.

Se alguém constantemente sonha com mortos, precisa pedir para alguém orar pela libertação da sua vida e quebrar todo tipo de maldição, todo tipo de praga lançada na família.

Sonhar com os mortos está ligado a algo espiritual e não vem da parte de Deus. Pode haver algum laço com a pessoa que morreu e que precisa ser rompido.

39. Sonhar com ovos:

Pode representar vida.

Sonhar com ovos cobertos ou sujos – é uma estrutura muito pequena, falha. Para haver uma reprodução e vida abundante, a estrutura tem que ser melhorada. Significa estruturar-se espiritualmente para que Deus se manifeste a seu favor.

40. Sonhar com dentes:

Sonho com dentes exige um cuidado especial, pois geralmente não é um sonho bom, inclusive em grau de alerta e de cuidado é tão ruim quanto o sonho com cobras ou com leões. Pode representar algo muito ruim que está para acontecer na vida da pessoa em áreas vitais.

Sonhar que perdeu os dentes, ou que alguém perdeu os dentes, ou com dentes cariados – significam perdas, inclusive de pessoas.

Dente frouxo – algo na vida de alguém está em deterioração. Pode representar a saúde da pessoa.

Dente que caiu – pode representar a perda de alguém na família dessa pessoa; pode indicar a deterioração também na vida profissional ou na vida financeira.

Sonhar com dente que está nascendo ou dente forte – representa saúde ou algo novo surgindo sobre a vida de alguém que vai trazer alegria; pode ser um novo empreendimento; uma inspiração que vai ter em relação a algo ou a alguém.

Algumas interpretações de sonhos

Interpretação do sonho de Shirley S.

"Sonhei que roubavam o meu bebê e eu chorava muito."

Interpretação: é Deus dizendo para você não sair da sua área, roubar o bebê significa tirar você do seu propósito, tirar o que Deus deu para você.

Interpretação do sonho de Marlene A.

"Sonhei que ganhei um casaco branco de tricô. Eu sabia quem o tinha feito. Ao mesmo tempo o casaco se transformava em echarpe. Minha patroa aparecia no sonho."

Interpretação: Deus está querendo falar para você que a sua humildade, a sua fidelidade vai se transformar em oportunidade para você. Você é uma pessoa compromissada com aquilo que faz, por isso vai vir uma oportunidade nova para sua vida.

Interpretação do sonho de Sandra D.

"Sonhei que descia uma escada estreita, chegava até um barracão e passava um casal elegante. A mulher me perguntou se tinha muitos ovos. Respondi que sim. Ela sorriu e disse: assim mesmo."

Interpretação: eu creio que Deus tem colocado coisas da sua vida com um grande potencial. No entanto, você precisa cuidar para não retroceder naquilo que Ele tem te mostrado. Um detalhe: Deus me mostra que há certas coisas na vida em que você tem que ser mais ousada e dar um passo maior de fé.

Interpretação do sonho de Mirelle S.

"Estou sonhando muito que me dão comida velha. As pessoas não viam, mas eu via e não comia."

Interpretação: pode estar relacionado a amizades e pessoas que estão próximas de você com as quais não é bom compartilhar algumas coisas e cujos conselhos nem é bom ouvir.

Três sonhos e as interpretações proféticas:

1. "No primeiro sonho, eu estava em um carro com minha família, todos da igreja. Esse carro caía num labirinto e nós ficávamos empurrando e empurrando o automóvel e não conseguíamos sair daquele local."

2. "No segundo sonho, eu estava dirigindo um caminhão, e no meio do caminho apareceram vários homens encapuzados e a gente ficava em uma encruzilhada com eles tentando nos matar, armados. *Não conseguíamos sair do lugar com aquele caminhão.*"

3. "No terceiro sonho, eu estava pilotando um avião muito grande e tinha muita gente dentro dele, mas o avião não decolava. Eu tenho sonhado com cachorros muito grandes, insetos, bichos."

Interpretação: todos os três sonhos são proféticos. O resumo deles é o seguinte:

- Sonho 1 – *Carro*: representa o ministério. Ele precisa de uma direção de Deus.

- Sonho 2 – *Caminhão*: representam espírito de acusação e oração contrária. Há muita inveja.

- Sonho 3 – *Avião*: a grande promessa que Deus lhe deu, mas que não está se cumprindo porque esse avião precisa ser impulsionado, ele precisa de uma força maior para poder levantar voo. O que significa? Significa que o seu ministério está precisando de uma ativação do profético. Vocês precisam de direções bem específicas para sair dessa situação. Direção significa mudar de lugar. Sei que isso parece um tanto radical, mas é a primeira mudança. Há outras coisas, mas isso já é o começo para elevar o ministério, levantar o ânimo da sua equipe.

DICE

O ser humano é por natureza curioso, as pessoas têm muitas perguntas, dúvidas, questionamentos. Elas procuram respostas para os seus devaneios e até mesmo para aquelas questões sem resposta…

Sabemos que há respostas que não se encontram em qualquer lugar e há lugares onde a resposta está maculada, contaminada, não vem da fonte espiritual divina. Eu acredito que Deus tem me levantado nesse tempo para ser uma voz profética, para dar direção às pessoas e para descortinar a interpretação dos sonhos e as maneiras com que Deus fala.

O propósito principal do meu ministério é ensinar as pessoas a ouvir a voz de Deus, ensinar a compreender como Deus fala, como Ele está nos dirigindo, muitas vezes, através de sonhos. Nós apenas precisamos compreender, discernir e seguir as Suas instruções.

16 perguntas sobre sonhos

1. Para uma pessoa que tem muitos sonhos e visões, como ativar o dom da interpretação?

Interpretação não é um dom, é uma revelação, é você estar conectado no "rio profético" para a revelação fluir através da sua vida. A convivência com a cultura profética vai fazer com que se abra todo entendimento sobre os sonhos, pelo menos sobre o profundo, porque o escondido, como eu disse, necessita de uma autorização especial de Deus. Quero lembrar que Jacó interpretou os sonhos de José, porque ele estava acostumado a uma cultura profética. A cultura profética, ao longo dos anos, foi se perdendo e isso é algo, inclusive, que ensino nas escolas de profetas. Ninguém que queira se mover no dom Profético vai conseguir se mover com maestria se não tiver bem familiarizado, ambientado, à cultura profética, porque a cultura profética é algo que se aprende, não é algo que simplesmente torna alguém profético automaticamente.

2. Todos os sonhos podem ser considerados proféticos?

Certamente não. Existem vários tipos de sonhos, os sonhos da Imaginação, os sonhos de Revelação, os sonhos Diabólicos e os sonhos Proféticos. Muitos sonhos são da nossa cabeça, são sonhos que não tem uma interpretação, esses são os da Imaginação, os sonhos de alma. A principal característica deles é que são muito confusos. Para saber mais sobre isso, releia o Capítulo 6 deste livro.

3. Por que muitas vezes não lembramos dos sonhos?

Há sonhos que não tem importância porque são da imaginação, e estes muitas vezes esquecemos. Quando um sonho nos impacta, nos acorda e nos perturba, é necessário buscar a revelação em Deus para que Ele traga a nossa memória o que sonhamos. Então conseguimos distinguir o que é de Deus e o que não é de Deus para nossa vida.

4. O que fazer quando tiver um sonho demoníaco?

Acordar e orar, porque aquilo está espiritualmente ativo.

5. O que fazer quando tiver paralisia do sono?

Não voltar a dormir naquele momento e orar.

6. Quais os principais elementos a observar em um sonho?

Cenário, figuras e pessoas. O cenário é o ambiente do sonho: água, água suja, água clara, água corrente, casa velha, casa nova, terra barrenta, asfalto, subidas, cemitérios... As figuras são morcegos, coisas nojentas, como lesma e banheiro sujo, escada, leão, tigre, mortos... Pessoas desconhecidas, estrangeiras, comuns, crianças, bebês, adolescentes, gente suja. Quero fazer uma ressalva: no sonho, *gente suja* é um elemento muito importante, pois são pessoas que estão em um cativeiro espiritual muito forte, e se as conhecemos, há um propósito de intercessão na sua vida.

7. Qual o propósito de Deus para nos mostrar de forma literal coisas comuns que vão acontecer no dia seguinte?

O propósito pode ser nos alertar sobre o perigo, pode ser também o anúncio de uma benção. É interessante que, se não temos a interpretação, não desfrutamos das bênçãos que há no sonho. Se os sonhos de faraó e de Nabucodonosor não tivessem sido interpretados, não teríamos acesso ao que iria acontecer e nem ao livramento. Então, os sonhos precisam ser interpretados, caso contrário não haverá liberação do poder. Isto é, só vai conseguir ter acesso à informação e ao sobrenatural quem tiver a interpretação. Sem interpretação não se tem um acesso espiritual ao que Deus está mostrando.

8. Se não interpretei um sonho antigo, Deus pode me dar outra chance para entender e resolver uma questão?

Na verdade, um sonho antigo, se for de Deus para você, é um mistério que vai ser recorrente. Se você teve um sonho na sua infância ou na sua juventude que lhe marcou, não é que Deus vai lhe dar um outro sonho, na verdade Ele quer que você interprete esse que ficou marcado em você.

9. Quando procurar um profeta?

Só devemos procurar um profeta quando não conseguirmos chegar à interpretação. Não é errado procurar um profeta para interpretar, já que vemos que Nabucodonosor e faraó procuraram um profeta para interpretar seus sonhos. Esses homens eram ímpios, pagãos, não serviam a Deus, então entende-se facilmente por que precisaram de profetas para obterem a interpretação de seus sonhos. Não obstante, a Bíblia nos diz que Saul perdeu as mulas do seu pai e, depois de muito procurá-las sem sucesso, o seu companheiro sugeriu que procurassem o profeta Samuel para desvendar o mistério. A Bíblia diz que, quando foram até esse profeta, os mistérios foram revelados. O detalhe é que Saul adorava o Deus de Israel e seu companheiro também. Então eram da mesma fé, mesmo assim não conseguiram achar as mulas. Eles precisaram de um profeta para compreender a visão de Deus, os mistérios de Deus. Com isso, conclui-se que há certas coisas que somente os profetas conseguem revelar.

10. O que sonhamos é um aviso real do que vai acontecer? Se não fizermos nada, assim mesmo se cumprirá?

Quando é um sonho de alerta que não foi compreendido, ele se cumprirá com ou sem interpretação. Quando é um sonho de bênçãos, de promessa, de transferência de dons, de riqueza, não poderemos acessar a bênção sem a interpretação, então não se cumprirá. De todas as formas, é melhor interpretar para saber o que fazer diante da situação.

11. Por que alguns sonhos são tão vívidos?

Alguns sonhos são tão vívidos, parecem tão reais e poderosos que algumas pessoas têm facilidade de ouvir através deles. Os sonhos são um canal. Esse canal de transmissão ao nosso espírito está sempre comunicando a nossa alma. Há pessoas que sonham muito, mas se esse não é o nosso caso, o nosso espírito vai comunicar à alma de outras formas, outros alertas, por meio de outros canais, como, por exemplo, através dos sentimentos de angústia, ansiedade, aflição, pressentimento... todos eles são canais que Deus usa para falar conosco. Todavia, são canais que o inimigo também pode usar se ele tiver um acesso espiritual a pessoa.

12. Como discernir bem as coisas espirituais?

É preciso três coisas para isso. Clareza, percepção e aplicação. Todos os dias convivemos com o mundo espiritual, mas a melhor forma de exercitarmos o discernimento do mundo espiritual é passarmos mais tempo com o que é espiritual. Para isso precisamos estar em contato com a Palavra de Deus, orando, jejuando, indo à igreja. É assim que teremos maior clareza. Além disso, a cultura profética, o contato, o estar familiarizado com o profético nos auxilia a sermos pessoas de discernimento.

13. Podem dois profetas dar significados diferentes para o mesmo sonho e ambos estarem certos?

O que pode acontecer é um revelar uma parte e o outro revelar outra parte, isso porque profetas têm níveis diferentes de revelação. Porém, é preciso dizer que há profetas que entendem de interpretação e que outros não passam de aventureiros, portanto, não sabem interpretar, dizendo qualquer bobagem sobre um sonho.

14. Quando um sonho é um aviso e quando é uma confirmação?

Quando o sonho é um aviso de Deus, ele vai ter agentes agressivos – tudo aquilo que pode machucar, que já está programado para machucar. Por exemplo, quando sonhamos com uma onda grande vindo contra nós, trata-se de um aviso de que tem problema à vista. Quando sonhamos com cobra no quintal ou cobra no quarto, trata-se de um aviso de que o inimigo está por perto, tentando atacar a vida sentimental do casal. Quando nós sonhamos com cobra na água, trata-se de um aviso de que tem alguém no ambiente que está procurando nos atacar.

O sonho é confirmação quando ele se repete; é aquele sonho recorrente ou contínuo, na mesma noite. Então, são sonhos de confirmação de Deus, algo que Ele já tem falado a você. Há confirmações que são avisos de Dele. Ele pode avisar você mais de uma vez, em mais de um sonho, confirmando um ataque espiritual ou uma benção.

15. Será que os dons do Espírito Santo podem ser ativados nos sonhos?

Com certeza há muitas pessoas que eu já encontrei, do mundo inteiro, que já receberam dons através dos sonhos. O próprio Salomão recebeu um favor de Deus, uma graça, uma habilidade de Deus, uma sabedoria fora do comum, não foi um dom, mas um talento de Deus para ele. Então, coisas podem ser, sim, comunicadas nos sonhos, tanto coisas boas quanto coisas ruins.

16. Qual é a diferença entre sonho e pesadelo?

Na Bíblia, fala-se sobre os terrores noturnos, que são ataques espirituais. A diferença entre um sonho comum e um pesadelo é o nível e o tipo de coisa que está manifestando. Sonhos demoníacos são pesadelos.

Livros para mudar o mundo. O seu mundo.

Para conhecer os nossos próximos lançamentos
e títulos disponíveis, acesse:

www.**citadel**.com.br

/**citadeleditora**

@**citadeleditora**

@**citadeleditora**

Citadel – Grupo Editorial

Para mais informações ou dúvidas sobre a obra,
entre em contato conosco por e-mail:

contato@**citadel**.com.br